We Are Enough

CONTENTS

005

EDITOR'S LETTER

006

THE SMALL TREE HOUSE,
A GROWING FAMILY

016

BRAVE, NOT PERFECT
아파트멘터리 윤소연 대표

030

HARMONY
OF FARMER'S FAMILY
매일의아침 김주형 대표, 매일의공간 남애리 대표

040

A HOME RESEMBLING
THE SHAPE OF LIFE
작가 김수경

054

HOW TO DECORATE MY HOME
우리 집 꾸밈 안내서

066

THE FURNITURE WILL REMAIN IN
THEIR HEARTS
바치 스튜디오 이하연 대표

076

HOW TO SPEND
A CHANGED DAILY LIFE
우리 가족이 집에서 시간을 보내는 방법

VOL.20 STAY HOME

088

THE KINDEST FRIENDS
IN THE WORLD
아이와 반려동물이 함께 자라는 집

096

ARE YOU TAKING GOOD CARE
OF YOUR HOME?
이공사홈 조석경 대표

102

ESSAY
집콕일지

108

BRAND
일상이 특별해지는 우리 집 오브제

114

PICTURE BOOKS
가끔은 나쁜 일이 좋은 일이 된다

118

MASTERPIECE STORY
미래를 위한 그림
힐마 아프 클린트

122

FOOD RECIPE
함께 즐기는 한 그릇 채소 덮밥

126

GREET!

STAY HOME

EDITOR'S LETTER

이렇게 오랜 시간 집에서만 보내던 때가 있었나요? 날이 춥거나 더운 것도 아닌데 말이죠. 이렇게 화창한 날씨임에도 불구하고 잠깐이라고 생각했던 거리 두기 기간은 꽤 길어지고 있네요. 요즘 인터넷에도 집밥 요리, 집에서 놀기 같은 슬기로운 집콕 주제가 눈에 띕니다. 모두가 집안에서 보내는 시간에 초점을 맞추고 있습니다. 각기 다른 성격의 가족이 집에 모여 오랜 시간을 보내기란 말처럼 쉽지 않습니다. 현관문이 닫히면 그 안에서는 우리 가족만의 시간이 펼쳐집니다. 마치 작은 마을처럼 몇 개의 방과 함께 모이는 주방과 거실, 비슷한 형태의 집에서 각기 다른 가족의 시간을 지켜봤습니다. 재택근무가 늘어 집에서 일과 삶을 동반하게 되면서 우리의 주거문화에도 많은 변화가 있으리라 짐작합니다. 우선 일과 분리하고자 공간에 변화를 줍니다. 종일 아이들과 붙어있느라 바짝 신경이 곤두선 부모의 공간도 필요합니다. 물론 단순히 가구나 배치를 바꾸는 것보다는 마음가짐이 달라져야겠지요. 이번 우리의 이야기가 여러분의 공간을 채우는 데에 도움이 되길 바라봅니다.

편집장 김이경

The Small Tree House, A Growing Family

Photography
Kazuyuki Kawahara

작은 나무 집, 자라나는 가족

에디터 김지수

반가워요. 안부를 묻기에 앞서, 가와하라의 가족을 소개해 줄 수 있나요?
큰 딸인 여덟 살 쓰쿠시와 둘째 아이 세 살 나쓰메, 엄마 게이코와 아빠인 저까지 모두 네 식구가 함께 살고 있어요. 조금 떨어진 곳에 할머니도 계시고요.

사진 속 배경이 아름다워요. 어떤 마을에 살고 있나요?
도야마현에 살고 있어요. 이곳은 시골이라 주위가 산으로 둘러싸인, 자연 풍광이 굉장한 곳이에요. 근처에 공원이 있어서 쉬는 날에는 다 함께 공원에 놀러 가요. 차로 한 시간 거리에는 할머니 댁이 있어요. 아주 오래된 옛날 집의 향수가 느껴지는 곳이죠. 주변은 논과 밭으로 둘러싸여 있는데, 쓰쿠시와 나쓰메는 늘 그 풍경을 보면서 감탄하곤 해요(웃음).

말 그대로 자연 속에 살고 있네요. 가와하라의 집 안 풍경은 어떤가요? 묘사해 주세요.
우리 집은 나무로 된 이층집이에요. 작은 집이지만 거실에 드는 아침 햇빛이 아주 마음에 들어서 만족해요. 세월이 흐르면서 생기는 변화를 그대로 받아들이자는 마음으로 자연 소재를 주로 이용해서 집을 채웠어요. 가족들이 가장 아끼는 가구도 식탁과 함께 놓인 나무 의자예요. 각자 취향에 맞는 의자를 사용하고 있어요. 나무 의자에 생긴 흔적을 간직하는 것처럼 식탁을 둘러싼 가족들과의 추억이 오랫동안 기억되었으면 하는 마음으로요.

집에서의 일과가 더 궁금해요. 가족이 다 함께 매일 하는 일이 있나요?
주로 저녁을 먹고 거실에서 보드게임이나 트럼프게임을 해요(웃음). 소소하게 노는 일이 많네요. 새로 생긴 일과는 쓰쿠시의 일기를 봐주는 일이에요. 오늘은 어떤 내용을 담을까, 모두 함께 상의하곤 해요. 쓰쿠시가 부끄러워하면서 일기 쓰는 법을 알려 달라고 하는데, 아이가 아직 어리기 때문에 함께 할 수 있는 고민이라고 생각해요. 언젠가 지나갈 추억이라는 것을 알기 때문에 이런 순간을 더욱 소중하게 여기려 해요.

스스로 일기를 쓸 나이가 되었네요. 처음 가와하라의 사진을 보았을 때 나쓰메도 갓난아이였는데, 벌써 이렇게 자랐어요! 두 자매의 사이는 어떤가요?
둘은 성격이 무척 달라요. 언니인 쓰쿠시는 눈물이 많고, 동생 나쓰메는 호기심이 많아요. 흔히 말하는 마이웨이 성격이죠(웃음). 그래서 자주 다투기도 해요. 얼마 전에는 둘이서 과자 따 먹기를 하는데, 쓰쿠시가 늘 이기니까 나쓰메가 속상해서 한바탕 난리가 나기도 했어요(웃음). 그래도 최근에는 쓰쿠시에게 어른스러운 면이 생겼어요. 동생을 돌보면서 부모 역할을 도와주고 있죠. 때로는 쓰쿠시에게서 모성애를 발견하기도 해요. 어른의 곁을 떠나 아이들끼리 잘 있는 모습을 보면 부모로서 외로운 마음이 들기도 하고요. 물론 뿌듯한 마음이 더 앞서지만요.

다투는 모습이 귀여울 것 같아요(웃음). 두 아이가 함께 텃밭에 물 주는 사진이 참 보기 좋더라고요. 정원도 가꾸고 있나요?
맞아요. 마당의 작은 텃밭에서 채소를 길러요. 최근에 토마토와 오이 모종을 심었어요. 옆에는 산딸나무를 심어 키우고 있고요. 아침에 일어나서 텃밭에 물 주는 일은 쓰쿠시 담당이에요. 곧 다가올 여름에 수확하는 것을 가족 모두가 기대하고 있죠.

상상만으로도 따뜻한 장면이네요. 가와하라 가족에게 '집'이라는 공간은 어떤 의미인가요?
집은 일상을 만드는 장소예요. 아무렇지도 않은 일상의 연결 속에서 우리 가족의 시간은 익어 가고 있죠. 어떤 의미로, 집에서의 사소한 일과를 소중히 하는 것은 자신을 소중히 하는 것과 같아요. 이 마음이 곧 우리 아이들에게도 전해지길 바라고 있어요.

가와하라의 사진을 보면 그 마음을 알 수 있을 것 같아요. 아이들도 사진을 좋아하나요?
최근에 쓰쿠시는 사진 찍는 걸 좋아하게 되었어요. 체키 카메라로 가족사진을 자주 찍어줘요. 가족 앨범에 제 모습이 담기는 일은 거의 없기 때문에, 쓰쿠시가 제 사진을 찍어줘

서 참 기뻐요. 필름 카메라이기 때문에 매수가 정해져 있다는 것을 알아서 한 장 한 장 아껴서 찍고 있죠. 일부러 필름 카메라를 선물한 이유도 그 감각을 꼭 소중히 여겼으면 했기 때문이에요. 제가 가진 오래된 필름 카메라에도 관심을 가지는데, 더 자라면 꼭 물려주고 싶네요.

쓰쿠시가 사진 찍는 모습도 궁금하네요. 가와하라는 가족을 찍을 때 어떤 부분에 집중하나요?
'반복'의 과정을 추구해요. 가족사진의 중요한 요소라고 생각하거든요. 쓰쿠시가 태어날 때부터 늘 같은 핫셀블라드 카메라를 사용하는데요. 6×6cm판 필름 카메라로, 정사각 비율로 현상이 담겨 모든 선이 평편하게 연결되는 게 특징이에요. 아이는 성장이 빠르고, 똑같은 상황이라고 해도 비슷한 사진이 되는 경우는 거의 없어요. 순간순간이 늘 다르죠. 같은 사진 비율 속에서 가족의 변화와 성장을 찾는 일이 즐거워요. 제가 가족사진을 계속 찍는 이유이기도 하고요.

앞으로 두 아이의 성장이 궁금해져요. 아이들을 위해 세운 계획들이 있나요?
아버지로서 제가 할 수 있는 일은 그렇게 많지 않다고 생각해요. 앞으로 쓰쿠시와 나쓰메가 커서 하고 싶은 일, 노력하고 싶은 일이 생겼을 때 두 아이의 손을 잡아당기는 것보다 등을 살짝 밀어주는 부모가 되고 싶어요.

instagram.com/kazuyukikawahara

윤소연 | 아파트멘터리 대표

BRAVE, NOT PERFECT

완벽할 수 없는,
완벽하지 않은 균형에 대하여

뭐든 잘해야 할 것만 같은 생각을 갖고 산 적이 있다. 잘한다는 건 좋은 일이지만 날카롭고 긴장된 상태는 나를 흔들고 갉아먹는다. '아파트멘터리'를 이끄는 윤소연 대표는 일과 가정이라는 두 세계를 똑같이 5년째 달리고 있다. 꾸준히 이어 나가지만 완벽에 가까워지려고 달리지는 않는다. 한계를 인정하고 지켜야할 것에 마음을 쓴다. 가족은 오래도록 이 길을 걸어갈 테다. 한 사람이 넘어지려하면 붙잡고, 서로의 걸음에 맞추면서. 그런데 어떻게 우리가 완벽할 수 있을까.

에디터 김현지 포토그래퍼 Argo

따로 또 같이

반가워요. 최근 리모델링을 하고 이사한 집이죠?
맞아요. 결혼하고 네 번째 집이에요. 지은 지 20년 된 아파트고 구조가 좁은 집이라서 리모델링을 했어요. 오랜만에 제 공간을 다듬을 기회이다 보니 고민이 많았어요. 아이가 있는 집이니 아이가 좋아하는 공간으로 꾸며야 할까, 내가 편안한 공간으로 만들어야 할까 생각해 봤어요. 거실에 아이 책장을 놓거나 전면에 매트를 깔고 아이들 공부하는 책상을 놓기도 하잖아요. 그렇다면 아이가 우선순위인 집이 되겠지만 저는 편하지 않을 거 같더라고요. 고민 끝에 모두가 쓰는 거실과 주방은 제 취향으로 하고 아이 방은 아이가 좋아하는 구조를 넣기로 했어요. 제가 좋아하는 월넛의 색감으로 신발장과 주방, 안방 붙박이장 등은 통일되게 맞췄고요.

공간을 새로 꾸미거나 가구를 들일 때 남편과 자주 의논하는 편인가요?
아니요. 100% 제 의견으로 꾸며요. 남편이 상의하는 걸 바라지 않아요. 본인은 어떤 공간이든 큰 상관없다며 취향이 없는 사람이래요(웃음). 제가 봤을 때 남편은 극 실용주의예요. 심미를 위해 돈 쓰는 걸 이해 못 해요. 저는 서재에 좋은 가구를 놓고 꾸미고 싶었어요. 남편은 기성품으로 다음 날 받을 수 있는 책상도 오래 쓸 수 있다며, 왜 굳이 돈을 들이냐고 하더라고요. 그래서 그냥 남편 마음대로 하게 뒀어요. 서재는 남편이 주로 써요.

각자의 취향을 담은 거네요. 모두 만족하는 집이 된 건가요?
각자 스스로 만족해야 셋이 모였을 때 더 행복하다고 생각해요. 아이도 이제야 첫 방이 생겼어요. 친정 엄마가 아이를 돌봐주셔서 늘 할머니와 방을 같이 쓰다가 자기 공간이 생겨 너무 좋아해요. 우리 집은 세 식구 모두 자신만의 공간이 있고, 각자의 취향을 존중하는 집이에요.

아이 방은 아이가 원하는 대로 꾸민 건가요?
아이가 어릴 때는 장난감도 인테리어의 일부라고 생각해서 정말 예쁜 장난감을 사주고 싶었어요. 그런데 그게 안 되더라고요. 바깥세상이 유럽이 아닌데 집 안에 디자인 장난감만 가져다 놓는 건 의미가 없잖아요. 아이가 좋아하는 것들로 사주되 선택지를 넓혀 줘요. 최근 우리 가족이 좋아하는 장난감은 플레이모빌이에요. 아이가 역할놀이를 좋아하는데, 디자인적으로도 아름다워서 함께 역할극을 하면 저도 힐링이 되어요. 역할극이 되면서 디자인이 아름다운 물건으로 접점을 찾는 편이에요.

집 안에서 소연 씨가 가장 행복한 공간은 어디예요?
거실에 보이는 임스 라운지 체어Eames Lounge Chair예요. 제가 이 집에 올 때, 사고 싶은 게 딱 하나 있다면 저 의자였어요. 서재는 남편이 쓰고, 아이는 아이 방에서 노는데 집 안에 내 방이 없는 거예요. 저만의 휴식처로 저 의자를 마련했어요. 앉으면 너무 행복해요. 아이도 남편도 여기가 제 공간이라는 걸 알아요. 책을 읽고 싶으면 "엄마, 우리 둘이 앉는 의자에서 같이 책 읽자."라고 해요.

집 안에 짐이 없는 편이에요. 공간에서 여유로움이 느껴져요.
신혼 때 산 것들을 바꿀 시기가 되었고, 공간이 주는 느낌도 달라서 기존 가구는 대부분 누군가를 주거나 버렸어요. 마음에 드는 게 나타나지 않는 항목은 굳이 구색 갖추려 사지 않고 좀 여백 있고 허전하게 뒀어요. 제 삶에도 여유가 필요했거든요. 아이 낳고 창업을 시작한 4년 동안 아무런 여백 없이 살았어요. 회사도 키워야 하고, 아이도 길러야 하고, 결혼도

5년 차가 되니까 권태기가 오더라고요. 삶에 공백이 하나도 없어서 제가 정말 좋아하는 게 뭔지 생각을 못 하고 살았어요. 신혼집을 셀프로 리모델링 할 땐 그게 취미생활이었어요. 집 꾸미는 게 재미있고 즐거웠는데 이게 일이 되니까 집에서 더 안 하게 되더라고요. 정작 제 공간을 위해 고민해본 적이 없었어요. 제가 2년 뒤면 40대예요. 지금까지 너무 달려왔다면 조금 천천히 돌아보면서 잊고 살던 공간이 주는 즐거움을 찾고 싶어요. 거의 기본 가구와 물건들만 두고 마음의 여유가 생기고 좋아하는 것이 생길 때마다 차곡차곡 쌓아서 이 집을 완성하고 싶어요.

집에 두고 싶어서 고민하는 물건들이 생겼나요?
거실에 그림을 걸고 싶어서 고민하고 있어요. 제 취향에 맞고 마음에 안정과 기쁨을 주는 오브제를 찾아야겠죠. 처음을 때 예쁜 것보다 오랜 시간이 지나도 예쁜 것을 사려고 해요. 한눈에 너무 예쁜 게 계속 아름답기는 힘들더라고요. 최근에는 연후가 결혼할 때 물려주고 싶은 걸 사야겠다는 기준이 생겼어요. 늘 좋은 것만 살 순 없으니까 물려줄 게 아니면 아예 싸고 기능이 좋은 걸 사고 오래 쓸 수 있는 건 좀 투자해서 사려고 해요. 애매한 걸 들이지 않아야죠. 유혹을 참아가면서요.

아파트인데 안방 창의 각도와 흐릿하게 나무가 보이는 구조가 신선해요.
신경 쓴 부분 중 하나예요. 아침에 일어나면 외국 에어비앤비에 온 거 같은 청량함을 느끼고 싶었어요. 오래된 아파트는 안방 새시가 있어서 구조가 새롭게 나올 수가 없어요. 이 방에서만큼은 여행 온 거 같은 기분을 느끼고 싶어서 일부러 벽을 치고 각도를 만들었어요. 아파트멘터리에서도 처음 해본 작업이에요. 자칫하면 좁아 보일 수 있거든요. 아, 벽도 새롭게 시도한 거예요. 페인트를 칠하고 싶었는데 43평 전체에 칠하면 시공 원가만 천만 원이 넘어요. 너무 비싸죠. 이 금액을 들일 가치가 있는 일일까 고민하던 차에 직원들이 도배를 페인트처럼 보이게 하는 방법이 있대요. 실험적이라 고객에게 제안하지는 못했다고 하길래, '그럼 우리 집에 해보자.' 해서 시도를 했어요. 천장을 보면 몰딩 없이 도배로만 마감을 했어요. 페인트만큼 좋지는 않지만 그 값의 1/4로 가능해요. 아파트멘터리는 최소한의 비용으로 제일 좋은 시공법을 찾고자 노력하고 있어요. 그런 요소를 저희 집에 실험해 본 거죠.

아파트멘터리를 시작하고 4년 동안 고객들이 집을 대하는 태도도 많이 바뀌었죠?
맞아요. 제가 집을 고칠 때만 해도 디자이너가 아닌 일반인이 집을 대대적으로 고치는 건 사치라고 생각했어요. 집에 사람을 초대해서 함께 뭔가를 하는 건 경제적으로 여유 있는 사람들이 누리는 일상이라는 생각이 있었죠. 그래서 저희 집을 신기해하고 재미있어하셨는데, 4년이 지난 지금 집에 대한 사람들의 인식이 정말 많이 바뀐 걸 느껴요. 디자인 체어를 사고, 조명으로 공간을 살리는 게 보편적이죠. 정말 큰 변화 같아요.

지금의 공간에서 더 멋진 라이프 스타일을 누리고 싶어 하는 사람들에게 추천해 주고 싶은 인테리어 팁이 있다면요?
주방과 욕실에 신경을 쓰고 다듬기를 추천해요. 저는 이 두 공간이 아니면 무리해서 돈 쓸 필요가 없다고 생각해요. 벽면에 마블을 시공한다던지 디테일에 많이 신경 쓰기보다 도배, 바닥은 심플하게 하고, 주방과 욕실에 힘을 줬을 때 고객들의 만족도가 컸어요. 남자분들은 화장실에서 안정감을 얻는대요. 제 남편도 화장실에서 휴대폰 하는 시간을 좋아해요. 여자분들은 주방이 아름다워야 만족도가 커져요. 저도 이 집을 공사할 때 요리도 잘 안 하는데 주방이 예쁠 필요가 있나 하는 생각을 했어요. 그런데 막상 꾸며 놓으니까 요리를 해 먹지 않아도 오가며 보는 것만으로도 행복해요. 여기서 요리를 하거나 뭔가 해보고 싶은 마음도 마구마구 생기고요. 주방을 바꾸는 방법은 많아요. 요즘은 필름도 잘 나와서 간편하게 싱크대를 바꿀 수 있으니까, 더 좋죠.

처음 공간을 고쳐본 게 신혼집이죠? 이름이 상암살롱이었나요?
맞아요. 결혼 전까지 거의 매년 이사를 다녔어요. 열 번 정도 옮겼을 거예요. 마음도 불안정하고 유목민처럼 살았어요. 결혼하고 9평짜리 오피스텔에 살다가 저희 부부가 있는 재산을 다 모아 전세를 끼고 집을 샀어요. 이사를 해야 하는데 꽃무늬 벽지와 답답한 구조로 제 취향이 아닌 거예요. 그때 저희에게 딱 3천만 원이 주어졌어요. 가구와 리모델링 비용 모두 해서요. 잡지에 나오는 곳에 상담받았더니 견적이 1억이 나왔어요. 동네 인테리어 사무실에서는 못 한다고 하는 게 많았고요. 3천만 원도 큰돈인데 직접 해보자, 싶었어요. 당시 저와 남편이 예능 PD였어요. 제 단순한 생각으로는 스태프를 꾸려서 하나의 결과물을 만들 듯이 잘하시는 반장님들 모아서 협업하면 되지 않을까 싶었죠. 9년 차

직장인에 일에 흥미도 떨어졌을 때라 제 에너지를 쏟고 즐거움을 발견하고 싶었어요. 그땐 집 전체를 셀프로 뜯어고치는 사람은 드물어서 내가 해봐야지 싶은 마음도 있었고요. 그렇게 집을 고치고 물건을 사다 보니 정보가 너무 많이 쌓이는 거예요. 나 같이 이런 정보가 필요한 사람이 있을 거라 생각했어요. 회사에서 보고서 쓰듯이 블로그에 글을 썼고, 인기가 많아져서 《인테리어 원 북》을 내게 되었어요.

책을 낸 지 얼마 안 되어 퇴사를 하고 창업도 했어요. 리모델링을 할 때만 해도 전혀 예상하지 않은 길이었을 텐데요. 어떤 과정이었어요?

퇴사 생각은 없었어요. 우연히 제 책을 소프트뱅크에서 보시고 제안을 주셨어요. 제2의 한샘을 만들어 볼 생각이 있으면 투자할 의향이 있으니 기획안을 만들어 올 수 있겠냐고요. 제가 경영학에 대해 잘 몰라서 열심히 공부해서 보고서를 쓰고 피칭을 했어요. 투자를 받게 되면서 저도 모르는 사이에 폭주 기관차에 올랐네요(웃음). 스타트업이 뭔지도 모르고 시작했어요.

남편의 동의도 필요했을 텐데요.

사실 남편이 하지 말라고 하면 안 했을 거 같아요. 당시 다니던 회사도 평생 직장이고 PD라는 직업이 주는 기회비용을 포기하는 게 쉽지 않잖아요. 남편에게 고민을 말했더니 "그거 해서 한 달에 100만 원은 벌 수 있어?"라고 묻더라고요. 신혼집 대출금도 남아있었거든요. 과외를 해서라도 월에 100만 원은 벌겠다고 약속하고 창업을 시작했어요(웃음).

상암살롱이 인생의 큰 전환점이 된 거네요.

인생을 새로 살게 해준 집이에요. 책도 썼고 사업도 시작했고 아이도 생겼죠. 첫 집이 생기고 공사가 다 끝나 가구가 들어오고 나서의 일주일이 제 인생에서 가장 행복했던 시기예요. 지금은 더 행복할 수 있는 요소가 있는데도 그때만큼 행복했던 감정을 죽기 전에 못 찾을 거 같아요. 제가 가진 열정을 다 쏟아부었어요. 결혼 전에는 늘 불안하게 거주지를 옮기며 살았는데, 내가 열심히 노력해서 부모님 도움 안 받고 집을 마련했다는 성취감과 안정감, 복합적인 만족감이 컸어요. 집을 그렇게 바꾸고 나니까 못하는 요리도 해보고, 꽃도 사서 꽃꽂이도 했어요. 청소도 하고 집을 쓸고 닦았죠. 집을 가꾸려는 마음을 처음 가져봤어요.

열심히 가꿨지만 지금 생각해 보면 아쉬운 것도 있나요?

저는 디자이너 출신이 아니어서 디자인 DNA가 있으신 분들의 센스는 따라잡을 수 없겠더라고요. 북유럽에 여행을 다녀온 뒤로 잡지를 많이 보고, 아름다운 집을 찾아봤어요. 제가 정말 좋아해서라기보다, 좋아하는 게 뭔지 모른 채 '이게 예쁘네. 예쁜 집에는 이게 꼭 있더라.' 하면서 유행하는 것들로 따라 한 거죠. 그걸 모았더니 북유럽 스타일이 된 거고, 제가 할 수 있는 최선이었어요. 그래서 사람들이 더 상암살롱을 좋아한 거 같아요. 디자이너들 눈에는 조금 촌스러울 수 있지만 보통 사람들은 '나도 할 수 있는 디자인'이라고 느꼈을 거예요. 예쁘다 싶은 것, 유행하는 것들을 조합해 놓았으니까요. 그 점이 아쉬워요. 이번 집을 인테리어하면서 직원들에게 북유럽 콘셉트는 아니었으면 좋겠다고 했어요. 그런데 제가 선택하는 가구와 색감이 결국 북유럽에서 출발한 디자인이더라고요. 우리가 예전에 북유럽풍이라고 하던 것과는 다르게 좀더 진하고 모던하지만, 이게 실제 북유럽 디자인이죠. 이걸 계기로 제 취향을 발견했어요. 첫 집은 북유럽 무드를 흉내 내려고 했다면 이 집은 제가 좋아하는 것을 모아 놓고 나니 실제 북유럽에 있을 법한 무드가 된 거죠.

자기 공간에 애착이 큰 편 같아요. 공간이라는 개념이 처음 생긴 때가 언제예요?

어린 시절 할아버지 댁에서 살았어요. 제가 다섯 살 전까지는 할아버지가 부유한 편이어서 2층짜리 큰 저택에 연못도 있었어요. 거길 기어 다니던 기억이 나요. 제가 처음 인지한 공간인 거죠. 그 이후에 부모님과 동생과 15평짜리 아

파트에 살았어요. 늘 동생이랑 같이 있었어요. 제가 생각하는 유년 시절의 공간은 동생과 함께하는 곳. 그래서 나만의 공간을 갖고 싶은 마음이 늘 있었어요. 그러다 중1 때 부모님이 분양을 받아서 33평에 이사를 갔어요. 드디어 제 방이 생긴 거죠.

너무 행복했겠네요. 첫 방을 어떻게 가꿨어요?
정말 좋았어요. 당시 영화 포스터를 방에 붙이는 게 유행이어서 〈그린 파파야 향기〉, 〈프렌치 키스〉 같은 포스터를 표구해서 방에 걸어 뒀어요. 대신동 시장에 가서 네온사인 전화기를 사달라고 엄마를 조르기도 하고, 내 방의 가구는 어떤 걸 샀으면 좋겠다고 제 의견을 말하기도 했죠. 대학 가기 전까지 6년을 거기서 보냈어요. 감수성이 풍부한 학생이었거든요. 사람들과 어울리는 거 별로 안 좋아하고 혼자 방 안에서 음악 듣고 책 읽는 걸 좋아했어요. 그때 1년에 책을 거의 200권은 읽었어요. 소설책을 쌓아 놓고 하나씩 독파하며 사춘기 시절 성취감을 느꼈어요. 내 마음대로 할 수 있는 방에서 신문방송학과를 꿈꿨고요.

꿈을 이룬 방이네요. 독립 후에는 이사를 많이 다녔다고 했어요.
줄곧 대구에서 살다가 서울에 처음 와서 대학 생활을 했어요. 대구에서는 일반적인 아파트에 살아서 누가 잘살고 못사는 것에 대한 개념이 없었어요. 보통 집이 다 이렇게 비슷하게 사는 줄 알았는데, 서울에 올라 대학에서 만난 친구들은 다른 세계더라고요. 부유한 친구들이 정말 많았어요. 처음에 놀란 게 저는 기초 화장품을 존슨즈베이비를 썼는데 친구들은 집에 가는 길에 백화점에 들러서 화장품 세트를 사더라고요. 문화충격이었어요. 저도 서울로 대학 가면 드라마에서 본 것처럼 오피스텔 같은 데 살 줄 알았어요. 하지만 저에게 주어진 건 열 명이 한 층을 쓰는 하숙집이었어요. 방이라는 게 내 현실을 보여주는 거고, 경제적으로 치환된다는 걸 처음 느꼈어요. 그러면서 집에 대한 집착이 생겼어요. '나도 돈 벌면 좋은 집에서 살겠어.'라는 마음을 늘 품고 살아서 상암동 집도 무리해서 산 거죠. 남편은 전세로 살아도 된다고 했는데, 저는 아니라고 내 집이 꼭 있어야 한다고 했어요.

가만 보면 우리는 삶의 주기마다 공간을 옮겨 살아왔어요. 집이 생활을 닮기도 하고, 삶이 공간을 닮아가기도 해요. 어쨌든 둘 다에게 가장 큰 변화는 아이의 출생이 아닐까 싶어요.
회사를 다니다가 창업을 하면서 삶이 너무 많이 바뀌었어요. 그러다 아이가 태어나서 일의 변화가 더 크게 와닿아요. 법인 등록한 다음 날 임신 소식을 알았거든요. 일의 변화와 임신·출산의 시기가 딱 맞물려서 복합적으로 삶이 변했어요.

어떻게 변하던가요?
그 전에는 시간이 너무 많다 보니 집도 고치고 책도 썼어요. 그게 사실 저를 위한 시간이었던 거죠. 창업을 하고 아이를 낳으니까 동시에 아이 둘이 생긴 거 같아요. 아파트멘터리라는 아이 하나, 연후라는 아이 하나. 조력자들이 분명 있지만 제가 없으면 안 크는 두 아이인 거죠. 이 둘에게 절대적인 존재가 되었다는 게 가끔은 숨이 막히기도 해요. 4년 동안은 저한테 시간을 쏟을 정신이 없었어요. 제가 뭘 먹는지 뭘 입는지 뭘 읽는지 다 미뤄 놓고 저라는 사람을 없애고 살아왔어요. 작년에 워크숍을 가서 1년간의 매출과 지표를 그래프로 그려봤어요. 매달 신경 쓰지만 돌아볼 기회가 없었는데 그걸 보고 깜짝 놀랐어요. 제 멘탈의 그래프와 똑같은 거예요. 티를 안 냈다고 생각했는데, 나의 멘탈이 회사의 성과구나, 내가 정신 차리지 않으면 안 되겠구나, 모두 자기 자리에서 열심히 잘하니까 내가 좀 소홀해도 회사가 잘되겠지, 하는 건 아직은 자만이라는 걸 알았어요.

소홀히 할 수 없는 두 아이인 거네요. 연후에게 어떤 엄마가 되고 싶어요?
저는 딱 51점짜리 엄마가 되는 게 목표예요. 일도 하고 아이를 키우면서 100점이 되길 바라진 않아요. 아이를 키우는 데 필요한 물리적 행위들 있잖아요. 음식을 먹이고, 씻기고, 옷 입히고 챙기는 건 친정 엄마가 도와주세요. 모든 걸 열심히 하고 49점까지 채우려고 노력하고, 다하지 못했다고 자책하고 싶지 않아요. 유기농 재료를 사서 직접 요리하거나 예쁜 옷을 입혀주고, 학습적으로 옆에서 뭔가를 해주는 건 필수는 아닌 거 같아요. 제가 노력한다고 더 잘할 수 없기도 하고요. 다만 감정적인 지지는 늘 해주고 있어요.

그럼, 51점은 감정적인 뒷받침인 거네요?
맞아요. 사랑은 당연한 전제조건이지만 아이의 존재 자체를 존중하려고 노력해요. 내 부속품이 아닌 한 사람으로서 아이가 느끼는 모든 감정을 인정해 주고 긍정하는 것. 아이에게 제가 꼭 지켜야 하는 마지노선이에요.

아이의 감정을 인정해 주기 위해 어떤 노력을 해요?
일부러 그렇게 한 건 아닌데, 저희 부부는 아이가 아주 아기 때부터 "우리 연후 뭐 했떠요?" 이렇게 묻지 않았어요. 좀 크면서 의견을 물어볼 때도 "너 뭐 먹고 싶어? 안 먹고 싶어? 그래 그럼 배고플 때 얘기해." 이렇게 어른한테 하듯이, 친구한테 말하는 것처럼 해요. 아이가 밥을 잘 먹는 편은 아니지만, 따라다니면서 먹인 적이 없어요. 선택도 스스로 하는 거

니까요. 요즘도 주중에는 일이 많아서 아이와 많은 이야기를 하진 못하는데요, 대신 주말엔 정말 재미있게 놀아요. 주로 역할놀이를 하면서 커뮤니케이션해요. 그러면 유치원에서 있었던 이야기가 다 나오더라고요. 가만 보면 아이도 저를 친구나 잘 놀아주는 이모 정도로 생각하는 거 같아요(웃음).

주말엔 어떻게 시간을 보내요?
남편이 해외에 나가는 프로그램을 오래 해서 주말에 세 식구가 함께한 지 몇 달 되지 않았어요. 보통 주말 오전까지 제가 뻗어 있어요. 연후도 주말 오전에는 엄마를 귀찮게 하면 안 된다는 걸 알아요. 남편이 아이 깨면 같이 놀고 밥 먹이고, 제 밥도 준비해 줘요. 그러면 12시부터 저희가 함께하는 일과가 시작되죠. 최근에는 아이 친구 가족을 초대해서 집에서 같이 놀았어요. 저녁 되면 같이 밥 먹고 헤어지는 게 주말의 일상이었죠.

부부가 한 집에 살면서 서로 노력하는 부분이 있나요?
연후 낳고 4년 동안 사이가 정말 안 좋았어요. 일이 고되니까 서로 기대고 싶은데 기댈 언덕이 될 수 없을 때마다 실망했어요. 서로 없는 존재처럼 여기며 살던 시절이 있었죠. 올해부터는 둘만의 시간을 억지로라도 가지려고 노력해요. 일주일에 한 번은 밖에 나가서 밥을 먹든 차를 마시든 함께해요. 연후와 2시간을 더 놀아주는 것도 좋지만 둘이 시간을 보내서 좋은 영향을 아이에게 주는 것도 중요한 거 같아요.

부부에게 연후는 어떤 아이예요?
연후를 생각하면 늘 고마워요. 친정 엄마도 연후는 워킹맘의 딸이 되려고 태어난 거 같대요. 한 번은 정신없이 출근 준비를 하는데 연후가 "아이고 우리 엄마 불쌍해라. 저렇게 일하느라 힘들지?" 하더라고요. 왈칵 눈물이 났어요. 엄마가 일이 많아서 불쌍하다고 생각하는 마음 자체가 아이에게는 제가 기댈 곳이라기보다는 걱정해 줘야 하는 존재가 되었다는 거잖아요. 하지만 거기에 빠지지 않으려고 의식해서 감정을 전환해요. '아우, 우리 연후 독립적으로 컸네.' 하면서요. 방법이 없는 일로 속상해하면 저를 갉아먹는 일이 될 거 같아요. 언젠가는 미안함이나 죄책감이 훅 밀려오는 시기가 한 번은 오겠죠.

자립심이 강한 편 같아요. 지금도 엄마를 찾지 않고 잘 놀고요.
'엄마는 지금 일을 하고 있구나'를 알아요. 자라면서 본 연후는 활발하고 누군가에게 디렉션 주는 걸 좋아해요. 병원 놀이를 혼자 하는 게 아니고 아이들을 모아서 "너는 이걸 하고

너는 뭘 해." 하면서 정해줘요. 아빠가 일하는 걸 한 번도 본 적이 없는데도, 촬영 현장에서 디렉션 주는 것처럼 놀이를 해요. 확실히 성향이란 게 있더라고요. 기획하고 상상하고 창작하는 걸 좋아해요. 저희 부부가 크리에이티브한 일을 하니까 아이는 공부를 열심히 해서 의사가 되어도 좋겠다는 생각을 한 적이 있어요. 첼로도 시켜보고 공부도 시켜보고 싶었는데 관심이 없어요. 아이 기질을 보니까 저희 부부가 해온 일을 이 아이가 해도 좋겠다 싶어요. 그런 일을 잘 할 것 같고요. 20년 뒤에 PD는 없겠지만 새로운 직업이 있겠죠. 얼마 전에 남편과 그래미 어워드를 보면서 저희의 바람을 좀 넣어서, "연후가 쇼를 연출하는 것도 멋지지 않을까?" 이야기했어요. 가만 보면 저도 엄마의 바람이 제 꿈에 더해져서 PD가 되었거든요.

아, 정말요?
엄마는 한 번도 공부하라고 말씀하시지 않았지만, 마음속으로는 제가 연대 신방과 가서 아나운서가 되길 바라셨대요. 제가 중학교 때부터 잡지에 백지연 아나운서가 나오면 스크랩해서 제 책상 위에 올려두고 "이런 사람 되게 멋지지 않아?" "서울에 있는 대학에서는 응원전이라는 걸 한대. 너무 재미있을 거 같지?" 하면서 동기 부여를 해주고 계속 상상하게 해줬어요. 저도 모르게 열심히 공부해서 방송국에서 일하면 너무 좋겠다 하는 꿈이 생겼어요. 조련당한 것 같은데 제가 선택했고 압박은 없었거든요. 티 안 나게 잘하셨죠(웃음). 친구들과 이야기하다 보니 대부분 엄마들이 딸에게 그런 태도를 갖지 않는대요. "넌 안 돼. 넌 못해."라는 말을 듣고 자란 친구들이 많아 놀랐어요. '너는 뭐든 할 수 있다'고 말하는 엄마가 생각보다 없었더라고요. 아이를 낳은 친구들이 저희 엄마에게 육아 조언을 얻으려고 연락하곤 해요. 저도 연후가 마음껏 꿈꾸고 상상할 수 있게 도와주고 싶어요.

연후가 사회 안에서 어떤 태도를 지니고 살면 좋을까요?
저의 가장 큰 단점이자 성장하고 싶게 만드는 욕구는 남들과의 비교예요. 내 감정에 집중하기보다는 내가 이렇게 했을 때 저 사람이 나를 어떻게 생각할까를 많이 신경 썼어요. 저는 늘 옳음보다 친절함을 택하며 살았어요. 남들을 불편하게 하고 싶지 않고, 모든 걸 좋게 마무리하고 싶은 마음이 컸거든요. 저를 위해서 살아왔다기보다는 내가 노력해서 성취하고 사람들이 인정해 줬을 때 더 행복한 거 같아요. 퇴사 후 창업을 한 것도 더 인정받고 싶은 생각이 있었겠죠. 사실 제가 정말 좋아하는 일을 택하려면 계속 글 쓰는 일을 하면 되는데 말이에요. 제가 선택한 길이지만 지금 내가 정말 행복한가 물었을 때, 솔직히 행복하다는 생각이 들진 않아요. 만족하지 않는다는 말과는 조금 다른 의미죠. 연후는 남들의 기준이 아니라 자신의 기준에 맞춰 살면 좋겠어요. 친절함보다는 옳음을 선택하면서요. 그게 이 아이가 행복해지는 길 같아요. 그렇게 될 수 있도록 많이 노력하는데, 키워보니까 한국 사회가 자신의 중심을 잡기가 정말 쉽지 않아요. 특히 여자아이는 외모에 대한 존중감을 갖기 힘들죠. 한번은 옆 반에 예쁜 여자아이가 새로 왔는데, 머리핀을 이만한 걸 꽂고 왔대요. 선생님이 무의식적으로 "○○는 원래도 예쁜데 핀을 꽂으니 더 예쁘네." 했나 봐요. 연후는 원래 핀 같은 걸 안 좋아했는데도, "엄마 나도 ○○ 같은 핀 사줘." 하더라고요. '안 해도 돼. 안 해도 예뻐.' 하려다가 "안 예뻐도 돼. 모두 예뻐야 하는 건 아니야."라고 말해줬어요.

매일매일 엄마의 세계와 대표의 세계 사이를 나가고 들어오 며 사는 셈이네요. 대표로서의 목표는 몇 점이에요?

안타깝게도 회사에서는 100점짜리 대표가 되고 싶어요. 일 욕심이 아직 더 있나 봐요. 제가 뛰어든 판에서는 가정보다 회사의 비중이 더 큰 게 지금 저에게 맞는 균형 같아요. 아직은 제가 견뎌야 할 것들이 더 많아요. 회사의 규모가 커져서 직원이 40명이 되었거든요. 아이와 회사 사이에서 나는 왜 균형을 못 잡지, 중간 지점으로 균형을 찾으려고 하면 스스로 힘들어지는 거예요. 지금은 회사에 더 신경 쓰지만 나중에는 연후에게도 100점짜리 엄마가 될 수 있지 않을까, 생각하면서 마음을 다져요. 엄마가 대표로서 100점이 되려고 노력한 게 연후에게도 좋은 엄마가 되면 더 바랄 게 없겠고요. 그렇지 않더라도 나중에 엄마를 이해해 주면 고마울 거 같아요. 그렇게 마음먹지 않으면 너무 힘겹거든요.

두 세계 사이에서 나만의 도피처가 있나요?

정신없이 두 세계를 왔다 갔다 해요. 4년간 여유라곤 하나도 없었는데 최근 이 집에 이사를 오면서 혼자 행복감을 느끼는 순간을 찾았어요. 친정 엄마가 연후를 재우면 혼자 노래를 틀고 식탁에서 와인을 마셔요. 그게 너무 행복한 거예요. 매일 밤 옛날 음악을 들어요. 온라인 탑골. 2002~2010년 사이 팝송이나 가요를 틀어놓고 '20대 때의 내가 젊어서 좋았던 것도 있네. 하지만 그때 부족했던 걸 나는 이미 많이 이뤘으니 불행할 이유가 하나도 없어.' 스스로 최면을 걸어요. '그래, 나는 잘 살고 있어.' 하면서요.

자꾸 점수를 매기는 게 좀 웃음지만, 시작한 김에 하나만 더 물을게요. 소연 씨가 연후에게 기대하는 점수는?

작년부터 많이 내렸어요(웃음). 유치원에 가기 전에는 애가 좀 빠르고 잘하는 아이인 줄 알았어요. 근데 특출한 아이는 아니더라고요. 친한 친구들 중에 벌써 영어 작문을 쓰는 아이도 있대요. 예전 같으면 속이 좀 탔을 텐데 깨달음을 얻으니까 '특출할 필요 있나? 좋아하는 거 하고 행복하면 되지.' 하고 저도 51점으로 맞췄어요. SNS를 보면 100점으로 보이는 엄마와 아이들도 많잖아요. 제가 그런 엄마이기를, 내 아이가 그런 아이이기를 기대하면 우리의 관계를 갉아먹는 일이 될 거 같아요.

10년 뒤쯤 다른 일을 하며 살 수도 있잖아요. 남몰래 품어 온 꿈도 있어요?

시트콤 작가가 되고 싶어요. 제가 살아온 워킹맘, 창업 이야기가 누적되면 재미있는 뭔가를 만들 수 있을 거 같아요.

그때 가족은 어떤 모습일까요?

계속 친구처럼 지냈으면 좋겠어요. 제가 힘든 게 있으면 연후에게 상담하고, 연후와 남편도 속상한 일을 서로 편하게 이야기하면서, 고민 상담을 할 수 있는 세 식구가 되면 좋겠어요. 관계에도 적당한 거리가 관계가 필요한 거 같아요. 슬픈 이야기일 수도 있지만 기대가 너무 높으면 실망이 크잖아요. 연후도 저도 남편도 서로에게 100점을 기대하지 않는 관계가 건강하다는 생각이 들어요. 저희는 51점이 목표니까, 그렇게 맞춰 살고 싶어요.

가족의 집, 각자의 행복

MOMMY' PICK

KID' PICK

DADDY' PICK

엄마가 고른 꽃 | 동네에 예쁜 꽃집이 생겨서 봄 원피스 대신 집 안에 들인 봄이다. 단아한 화려함이 마음에 쏙 든다.

연후가 좋아하는 그림책 | 연후와 엄마가 제일 좋아하는 책. 엄마가 열심히 읽다가 엄마는 피기, 연후는 엘리펀트가 되어 책을 함께 읽었고 최근엔 연후도 혼자 이 책을 읽는다.

아빠의 안정, 욕실 | 안정감을 주는 공간이다. 혼자 휴대폰을 하면서 시간을 보내면 참 행복하다.

김주형 l 매일의아침 대표 · 남애리 l 매일의공간 대표

HARMONY OF FARMER'S FAMILY

경주시 천북면 성지리의 말괄량이

"서울에서 당일치기로 왔다 가긴 힘드실 텐데, 하루 묵고 가는 건 어떠세요?" 상냥한 부부가 건넨 한마디를 발판 삼아 경주의 시골 마을 '성지리'로 향했다. 장장 네 시간이 걸린 기나긴 여정. 설레는 맘을 안고 도착한 마을은 적막할 정도로 고요했다. 득시글한 사람 대신 바람결에 흔들리는 보리의 춤사위가 보이는 곳, 자동차 경적 대신 소 우는 소리가 선명하게 들리는 곳. 농부 부부와 다섯 살 난 여자아이가 살아가는 하얀 집에 도착하여 크게 숨을 들이켠다. 맑은 공기를 담아 인사하면 왠지 더 낭랑한 목소리가 나올 것만 같아서. 연습부터 해볼까? "아아, 주아야 안녕?"

에디터 이주연 포토그래퍼 정연화

농부 부부의
반짝이는 사계절

좋은 아침이에요. 인터뷰이 집에서 하룻밤을 보내기는 처음이에요.
애리 안녕히 주무셨어요? 간밤에 바람이 많이 불어서 무서우셨죠?

무섭긴요, 잠결에 간간이 소 울음소리가 들려서 신기하고 좋았는걸요.
애리 새벽 4~5시에는 닭도 울어요(웃음). 농촌에선 아주 익숙한 풍경이고 일상의 소리인데, 불편하지 않았다니 다행이에요.

산골이라 그런지 한밤에도 달이 밝더라고요.
애리 혹시 침대 머리맡에 있는 작은 창 보셨나요? 거기 커튼을 달지 않은 이유가 침대에 누워 햇빛과 달빛을 누릴 수 있길 바라서였어요. 알람 소리에 일어나 출근하기 바쁜 사람들을 여기서만큼은 따사로운 햇볕으로 눈뜨게 하고 싶었거든요. 농담으로 '달빛이 눈부셔서 잠이 안 온다'고 할 만큼 자연과 가까운 동네예요.

겨우 하루 머물렀지만 경주의 매력을 온몸으로 느낄 수 있었어요. 여기서 어떤 일을 하는지 소개해 주실래요?
주형 저희는 경주에서 살아가는 농부 부부예요. 경주에서도 외곽에 있는 '성지리'에 터를 잡고 손수 지은 하얀 이층집에서 살고 있어요. '매일의아침'이라는 쌀 상회 브랜드를 만들어서 직접 수확한 쌀을 판매하고 있죠. 소비자들이 신선한 쌀을 맛볼 수 있도록 매일 아침이면 나락을 직접 도정해서 배송하는 게 저희 일이에요.
애리 남편이 농사짓고 도정한 쌀을 판매한다면, 저는 민박 브랜드 '매일의공간'을 운영 중이에요. 성지리의 아름다운 풍경, 새들의 지저귐, 따뜻한 볕과 산책하기 좋은 길을 공유하고 싶어서 시작한 일이죠. 매일의공간을 예약한 손님들은 저희 집 2층에 머물게 돼요. 조식도 저희가 먹는 밥으로 제공받고요. 그래서 숙박업소보다는 가정집에 방문한 느낌이 더 강할 거예요. 아, 그리고 이 모든 활동에 다섯 살짜리 딸 주아가 함께하고 있어요. 경주에서 태어나 경주에서만 살아온 말괄량이죠.

어제 처음 보았는데 벌써 정이 든 귀여운 아이 말씀이시죠? 주아 이야기에 앞서 두 분 이야기부터 들어보고 싶어요. SNS를 보니 '농자이너'라는 별칭을 사용하시던데 이전 직업이 혹시 디자이너였나요?
주형 부모님이 쭉 농사를 지으셔서 어릴 때부터 경주에서 농사일을 돕곤 했지만, 사회생활은 웹디자이너로 시작했어요. 프리랜서로 10년 가까이 일하다가 일터에서 아내를 만나게 됐죠. 결혼하고는 경주에 신혼집을 짓고 가업을 이어 전업 농부로 일하기 시작했어요.
애리 저는 대구 토박이인데 취업을 경주로 하게 됐어요. 디자인 회사는 아니고 반조리 식품을 개발하는 곳이었는데, 저는 메뉴 개발자로 일했고 남편이 웹디자이너였죠. 퇴사하고 나서도 경주가 너무 좋아서 고민 없이 여기에 신혼집을 꾸렸어요. 결혼 전엔 농부 생활에 대해 아는 게 전혀 없었는데 막상 겪어보니 잘 맞아서 금방 적응하게 됐고요.

부모님이 하던 일을 그대로 잇는 것이 아니라 매일의아침이란 브랜드를 통해 한 걸음 더 나아간 게 흥미로워요.
주형 어려서부터 부모님이 농사짓는 걸 봐와서 농부는 부지런하지 않으면 안 된다는 걸 잘 알고 있었어요. 일한 만큼 수확이 있기 때문에 모든 과정에 성실해야 하고 정성을 쏟아야 하죠. 하나부터 열까지 스스로 해야 하는 건 물론이고요. 그런데 생산한 쌀을 국가에서 매입하는 공공비축미 시스템에서는 부모님이 노력하는 만큼 보상이 충분하지 않다는 생각이 들더라고요. 저희가 수확한 쌀을 좀더 신선하게 제공하고 싶다는 욕심도 있어서, 중간 유통 과정을 생략하고 소비자와 직접 거래하기 위해 매일의아침을 만들게 됐어요.

농부 이미지와 매일의아침이란 이름은 정말 잘 어울려요.
애리 둘 다 음악을 좋아해서 브랜드 이름을 지을 때 노래를 많이 참고했어요. 매일의아침은 '매일의 고백'이라는 노래에서 따온 건데요. 매일매일 같은 시각에 일과를 시작하고 성실하게 일하는 농부의 모습이 인상적이어서 '아침'이라는 단어와 연결 짓게 됐어요.
주형 '매일'은 활용하기에도 좋은 단어예요. 매일의아침에 이어 매일의공간이 탄생했고, 판매하는 상품도 매일의백미, 매일의현미, 매일의잡곡으로 이름 붙였거든요. 캐치프레이즈도 '매일 먹는 농부의 식탁'이라고 지어서 당일 아침 도정한 신선한 쌀로 더 맛있는 밥을 지어 먹을 수 있다는 걸 강조하고자 했어요.

농부는 직장인처럼 연차가 있는 게 아니어서 더 체계적으로 일해야 할 것 같아요. 하루를 어떻게 보내고 있나요?
주형 직장인의 기상 시각이 평일과 주말로 나뉜다면 농부는 여름과 겨울로 나뉘어요. 하절기에는 새벽 5시 즈음 일어나고 동절기엔 6시 정도에 기상하죠. 일어나자마자 3~4분 거리에 있는 본가에 가서 소에게 밥 주는 일로 하루를 시작해요. 농사일은 아직까지 아버지가 주체이고 저는 옆에서 돕는 식이라, 매일 아침 브리핑으로 오늘 할 일은 무엇인지 이야기를 듣고 그때그때 스케줄에 맞추어 움직여요.

나인투식스가 아니라 장기적인 그림을 그리면서 일하는 거군요.
주형 맞아요. 1년 단위로 흘러가고 있어요. 봄이 오면 벼농사 준비를 시작하는데, 3월엔 논에 우분을 살포하고 4월엔 볍씨 파종과 함께 못자리를 하여 모를 정성껏 키워내요. 5월 말쯤 모내기한 뒤에는 제초 작업에 들어가는데요. 이때 농약 없이 우렁이를 사용하는 게 저희 농법의 특징이에요.
애리 우렁이를 살포하는 시즌엔 논이 정말 예뻐요. 호수처럼 물이 좌르르 차오르는 시기죠. 그래서 단골들에겐 일부러 5~6월에 오시라고 이야기하기도 해요. 어디서도 볼 수 없는 아름다운 풍경이 있으니까요.
주형 그림 같은 풍경이 지나고 나면 10월엔 가장 바쁜 추수가 기다리고 있어요. 추수가 끝나면 1년 농사가 끝날 것 같지만 그렇지 않아요(웃음). 땅을 놀리지 않기 위해 보리를 심거든요. 성지리의 1년은 이렇게 꽉 채워 완성되는 거죠.

생각보다 훨씬 체계적이네요. 집 마당에 도정실이 있던데, 보통 농부의 집엔 도정실이 함께 있나요?
애리 있는 곳도 있고 아닌 곳도 있는데, 있더라도 관리에 그다지 신경을 쓰진 않아요. 어두컴컴한 곳에 기계가 파묻힌 느낌이죠. 소비자에게 떳떳하지 못한 분위기가 있는 편인데, 저희는 이런 문화를 바꾸고자 깔끔하게 차려서 공개하기로 했어요. 쌀이 깨끗하게 도정되는 걸 소비자가 직접 보면 신뢰가 생길 것 같았거든요. 마침 마당에 공간도 넉넉해서 도정실을 직접 짓게 됐죠.
주형 카페가 원두 로스팅실을 오픈하는 것처럼 매일의아침도 도정실을 공개하자는 취지였어요. 온라인이든 오프라인이든 도정실을 일일이 공개하는 상회는 잘 없거든요. 청결하게 관리되는 도정실을 보여드리면 브랜드의 가치도 높아질 거라고 생각했어요.

처음 보는 도정실이 익숙하다 싶더니 정말 로스팅실 같네요. 그래서인지 쌀 포장이 꼭 원두 포장처럼 보이기도 해요.
주형 소포장해서 더 그렇게 보이죠? 예전에는 진짜 원두 봉투에 담아서 나갔는데 요즘은 신선도를 높이기 위해 진공 포장하고 있어요. 쌀은 도정하고 한 달 이내에 먹는 게 가장 신선하고 맛이 좋은데, 보통 10킬로, 20킬로그램을 주문해서 두고두고 드시잖아요. 도정한 날짜에서 멀어질수록 밥맛은 점점 떨어지거든요. 저희는 소비자들이 더 맛있는 밥을 드실 수 있도록 500그램, 1킬로, 5킬로, 10킬로그램 단위로 판매하고 있어요. 모든 쌀은 당일 아침에 도정해서 바로 배송하고 있고요.

애리 정기배송을 시작한 것도 같은 이유예요. 3킬로 혹은 5킬로그램짜리 쌀을 6회에 걸쳐 보내드리는 시스템인데요. 소비자는 대량의 쌀을 한 번에 배송받는 것이 아니라 쌀이 떨어질 때마다 소분된 쌀을 받아보게 돼요. 쌀은 쌀통에 넣어두고 묵힌다는 인상이 강한데, 저희는 쌀도 신선 식품이라고 생각해서 소비자가 당일 도정한 쌀을 배송받도록 노력하고 있어요.

여기 오기 전에 매일의백미를 주문해서 먹어봤는데 밥풀에 윤기가 돌고 찰기가 있더라고요. 정말 맛있었어요. 오늘 차려주신 조식도 좋았고요.
주형 정말요? 주문하신 것도 몰랐어요. 그래서 맛있다는 말이 더 기쁘네요. 특별하게 준비하는 메뉴가 아니라 늘 저희가 먹는 반찬을 내어드릴 뿐이지만, 조식 먹으러 온다는 손님들도 있어서 그럴 때마다 참 뿌듯해요.

꼬마 농부의
천진난만한 하루

농사일에 민박, 디자인까지, 하는 일이 정말 많아요. 부지런한 부모님의 영향인지 주아도 일찍 하루를 시작하더라고요.
애리 오늘도 손님이 와 있다고 일찍 눈을 떠선 분주하게 움직였어요. 요즘은 코로나19 때문에 손님이 많이 줄었지만 2층에는 거의 매일 손님이 계시거든요. 경주에서는 나름 예약하기 힘든 숙소예요(웃음). 그래서 보통은 손님과 가족의 아침밥을 준비하는 일로 일과를 시작해요. 주아는 요리하는 제 옆에 발판을 두고 올라와서 도와주기도 하고, 참견하기도 하고, 요리를 따라 하기도 해요. 아침밥을 먹고 나면 동네를 산책하거나 자전거를 타고, 숲에 놀러 가기도 하죠. 온종일 '뭐 하고 놀까' 고민하느라 바빠요.

마당에 주아랜드라는 놀이터가 있던데, 혹시 직접 만드셨나요?
주형 네. 잔재주가 많아서 이것저것 만들게 되네요(웃음). 놀이터를 만든 지 2년째인데 주아가 이제야 노는 법을 터득해서 얼마 전에야 빛을 보기 시작했어요. 지금까지는 그네 타는 법을 몰라서 엎드려서 타곤 했거든요. 경주 생활에 유일한 단점을 꼽자면 주변에 주아 친구가 없다는 거예요. 동네에 아이들이 없으니 주아가 놀 만한 장소도 딱히 없어서 놀

이터를 직접 만들어 주자는 생각이 들었어요. 가끔 산 너머에 있는 어린이집 친구들이 놀러 오면 같이 놀 장소가 필요하기도 했고요.
애리 동네에 또래는 없지만 동물 친구들이 있어요. 집 앞에만 나가면 거위도 있고, 닭도 있고, 소도 있고, 저희가 밥을 주는 고양이도 있거든요. 그래서인지 주아도 특별히 외로워하거나 쓸쓸해 하진 않아요. 동네를 한 바퀴 돌면서 동물들과 인사하며 다니는 게 주아의 일상이죠. "거위 안녕? 닭들아 안녕?" 하고요.

상상만 해도 귀여운걸요! 아까 주아가 텃밭일을 거들던데 뭘 심은 건가요?
주형 오늘 심은 건 파 모종이에요. 식구들과 직접 채소를 재배하고 싶어서 마당에 작은 텃밭을 만들었는데, 호박, 가지, 파프리카, 고추, 토마토… 엄청나게 많은 작물이 자라고 있어요. 어지간한 채소는 다 키우고 있죠. 주아는 평생 보아 온 게 농부의 일상이어서 밭일이 보통의 생활이라고 생각하는 것 같아요. 가끔은 놀이처럼 대하기도 하죠. 흙을 놀이 매트 삼고, 삽을 장난감 삼으면서요.

흙에서 지렁이를 잡아 해맑게 웃으며 저에게 건넸는데 벌레도 주아에겐 친구처럼 보였어요. 사실 저는 지렁이를 무서워하거든요(웃음).
주형 아이고, 놀라셨죠? 주아의 이런 자유로운 성격은 환경이 절반 이상 만들어 준 것 같아요. 흙이 묻어도 더럽다고 생각하지 않고 어떤 벌레도 무서워하지 않는 것만 봐도 그렇죠.
애리 요즘 도시 아이들은 자연을 체험하기 위해 예약하고 숲이나 밭에 가기도 한다는데, 주아는 그 아이들과는 반대로 자연과 먼 환경에서 살아본 적이 없어요. 주변이 온통 논밭이어서 농부 생활도 익숙하고 저희가 하는 건 뭐든 같이 하려고 하죠. 텃밭 가꾸기도 어느 순간 자연스럽게 함께하고 있더라고요.

그 모습이 참 보기 좋았어요. 위험하다고 말릴 법도 한데 함께 삽을 들고 밭을 일구는 부모님도 멋져 보였고요.
애리 주아에게 웬만해선 만지지 말라거나 위험하다는 이야기는 잘 하지 않아요. 뭐든 해봐야 위험한 것도 안다고 생

각하거든요. 늘 여기저기 뛰어다니고 궁금한 건 전부 해보는 아이지만 지금껏 무모한 행동을 한 적은 없어요. 위험 요소가 거의 없는 시골이어서 가능한 일 같기도 한데, 앞으로도 위험천만한 행동이 아니면 굳이 말리지는 않으려고요.
주형 아이라고 무조건 보호받기보다는 직접 경험하고 부딪치며 알아가는 게 중요하다고 생각해요. 주아가 밝고 긍정적으로 성장하는 걸 지켜보면서 저희에겐 이게 옳은 방식이라고 여기게 됐고요. 주아는 밖에서 놀다가 흙이 묻은 채로 집으로 들어오거나 벌레를 겁 없이 손으로 쥐어보는 일도 많은데, 다른 사람들 생각은 어떨지 몰라도 저희는 지금이 좋아요.

자유롭고 천진한 주아 성격은 주변 환경과 육아 방식이 만든 것 같아요. 하지만 도시에서 누릴 수 있는 혜택도 외면할 순 없을 텐데요.
애리 아무리 좋은 혜택이어도 시기에 맞게 하는 게 중요하다고 생각해요. 주아가 성장할수록 필요한 건 점점 더 많아질 거예요. 교육만 해도 그렇겠죠? 하지만 지금은 열심히 뛰어 놀고 건강하게 지내는 게 가장 중요한 것 같아요. 나중에 다른 게 필요해지면… 음, 그건 그때 가서 고민하려고요. 지금은 시골에서 얻는 게 훨씬 더 많다고 느끼니까요.

닥치지 않은 상황은 미리 걱정하지 않는 것 같아요.
애리 맞아요. 저희 태도가 그래서인지 주아도 비슷하더라고요. 뭐든 긍정적으로 보고, 지금을 즐기고, 열린 마음으로 대

하고요. 도시 아이들은 주아가 누리지 못하는 것들을 누리겠지만 주아는 성지리의 자연에서 많은 걸 배워요. 매일매일 해와 달이 뜨고 지는 걸 가까이서 보고, 꽃과 나무가 어떻게 자라는지, 어떤 풀이 자라나는지도 세심하게 관찰하죠. 가르쳐주지 않아도 "엄마, 저기는 보리를 심었네?" 하고 묻기도 하고 "아빠, 저 나무에서 꽃이 가장 먼저 피어!" 하면서 자연의 섭리를 이해해요. 그런 모습은 제가 봐도 참 신기해요.
주형 부모가 아이에게 이것저것 권한다고 해서 없던 관심이 생길 거라 생각하지 않기 때문에 뭐든 주아가 흥미를 보일 때 열심히 밀어주고 싶어요. 저희가 살아가는 곳은 시골 마을이니 굳이 도시 생활에 기준을 두지 않아도 된다고 생각해요. 그게 좋은 거라고 믿고요. 도시에서는 느낄 수 없는, 농촌에서만 볼 수 있는 고유한 것들을 주아가 많이 보고 느끼면 좋겠어요.

하지만… 주변엔 학교도 없는 것 같은데 앞으로는 어떡하죠?
애리 눈에 보이지 않아서 그렇지 학교나 마트 같은 시설이 아주 멀진 않아요. 시골이긴 하지만 산골짜기 오두막은 아니니까요(웃음). 차를 타고 5분만 나가면 편의점도 있어요. 친구들은 '남들은 걸어서 5분이면 가는 곳을 차 타고 5분이나 나가야 하냐'고 놀리기도 하지만, 저희는 이런 삶에 전혀 불편함이 없어요. 계속 작은 동네에서 살아와서 더 그런 것 같기도 하고요. 주아도 지금껏 잘 적응하며 지내왔기 때문에 큰 문제라고 생각하진 않아요.

주형 살다가 필요한 게 생기면 조달하면 되고, 훗날 주아가 산 너머 학교를 다녀야 한다면 차로 데려다줄 의향도 있어요. 아주 가까이 있지 않을 뿐 이곳 주변에도 시설은 충분하거든요. 저희가 불편하게 살아가는 게 아니라 도시 사람들이 편의 시설에 너무 길들여진 건지도 몰라요.

주아네 가족 이야기를 보고 농촌 생활을 꿈꾸는 가족도 생길 것 같아요. 요즘은 귀촌이나 귀농하는 사람들도 많아지고 있고요.

애리 하지만 섣불리 결정하진 마세요. 농촌살이를 시작하기 전에 본인이 '부지런한 사람'인지 꼭 다시 한번 점검해 봐야 해요. 도시 생활처럼 누군가 대신해 줄 수 있는 게 하나도 없거든요. 모든 관리를 스스로 해야 한다는 걸 반드시 알고 있어야 해요. 무턱대고 내려왔다가는 해야 할 일이 너무 많아서 깜짝 놀랄지도 몰라요.

주형 '시골이 조용해서 좋다'는 마음만으로 이사하기에는 따져야 할 게 정말 많아요. 또, 귀촌과 귀농의 개념은 다르기 때문에 잘 생각해봐야 해요. 귀촌이 다른 직업을 가지고 농촌에서 살아가는 거라면 귀농은 농사일로 먹고사는 거예요. 귀농은 어쨌거나 몸이 아주 힘들죠. 저는 가업을 잇는 데도 힘든 점이 많은데, 연고 없이 농사일을 시작하는 건 절대 쉽지 않을 거예요. 게다가 농촌 사람들 사이에는 알게 모르게 텃세도 있어요. 생각보다 심한 곳도 있어서 다른 농부들과 어울리는 일에도 신경 써야 해요. 물론 귀촌도 쉽게 생각하면 안 돼요. '농촌에서 살고 싶다'는 의지와 '나는 부지런하다'는 준비가 되어 있어도 어려운 일이니까요. 만일 의욕은 있는데 자신이 없다면 일주일 중 5일은 도시에서 살고, 주말 이틀은 농촌에서 살아봐도 좋을 것 같아요. 조그만 밭이라도 직접 일구어보면서 다른 농부들과 관계를 맺고 차근차근 적응해 본 뒤 결정하시는 게 좋아요.

주아네는 앞으로도 성지리에서 씩씩하게 살아갈 것 같아요. 계획하고 있는 특별한 목표가 있나요?

주형 매일의아침의 도정실은 마무리 작업 이후 곧 체험장으로 오픈할 예정이에요. 종종 매일의공간에 어린이 손님이 방문하면 볍씨를 직접 만져보고 도정할 수 있도록 안내하기도 했는데, 그때마다 아이들이 신기해하고 좋아하더라고요. 앞으로는 본격적인 프로그램을 만들어서 나락을 도정하고 그 쌀로 직접 밥을 지어 먹는 과정을 체험할 수 있도록 해보려고요.

애리 주아는 산책하다가도 "엄마, 이건 벼지?" 하고 물어볼 정도로 쌀에 대해 잘 아는데 도시 아이들은 그렇지 못할 테니 매일의아침에서 그 과정을 조금이나마 알려주고 싶어요. 참, 올해 8월이면 주아에게 동생이 생길 텐데요! 지금 배 속에서 무럭무럭 자라는 중인데 어떤 아이가 태어날지 저희도 기대돼요. 남동생이라는 소식에 주아도 기뻐하고 있죠. 만삭이 되면 매일의공간은 잠시 쉬어갈 예정인데, 얌전하고 순한 아이라면 산후조리를 마치고 금방 복귀할 수 있겠죠?

maeil-achime.com

집에서 할 수 있는 초록색 활동

"주아도 요즘 하고 있는 간단한 활동인데, 화분에 씨앗을 심고 키워보세요. 시시하다고 생각하실 수도 있지만 초록 식물을 곁에 두는 게 정신적으로 큰 도움이 되거든요. 직접 씨앗을 고르고, 심고, 싹트는 걸 보면 마음에 안정감이 생겨요. 식물의 생장을 관찰하는 데서 그치는 게 아니라 시간을 정해서 아이 스스로 물을 줄 수 있게 하고 식물과 이야기 나누는 시간을 만든다면 더욱 좋은 영향을 미칠 거예요. 주아는 '아침밥을 먹고 화분에 물을 준다'는 걸 규칙으로 삼고 매일매일 알아서 물을 주고 있어요. 아침이면 '무럭무럭 자라라' 하고 노랠 부르면서 분무기로 물 주는 게 습관이 되었죠. 일반 화분도 좋지만, 달걀 껍데기에 흙을 담고 심으면 아이들도 훨씬 재미있어할 거예요."

김수경 | 작가

A HOME RESEMBLING THE SHAPE OF LIFE

집이 허락한
소박하고 잔잔한 삶

김수경 씨는 성실한 기록자다. 매일 집을 보듬고, 묵묵히 살림을 매만지면서 가족과 부둥켜 안고 살아가는 일상을 글로 남긴다. 봄비가 내려 녹녹한 아침, 그의 일기장 속으로 들어갔다. 바깥 공기일랑 모른 채 포슬포슬한 온기가 곳곳에서 배어 나온다. 아침마다 커튼을 걷으며 하루를 시작하고 커피를 내리며 찰나의 위로를 받고, 아이들을 먹이고 재우며 안도한 시간들이 이 기운을 만든 것일 테다.

에디터 김현지 포토그래퍼 정수인

낮은 집, 소소한 살림

요즘 날씨가 참 좋아요. 어떻게 지내셨어요?
계속 집에서 지냈어요. 저와 아이들은 물론이고 남편도 재택근무를 하는 곳으로 직장을 옮겨서 네 식구가 온전히 함께 했어요. 이렇게 오랜 기간이 될 줄 몰라서 처음엔 휴가나 연휴, 긴 명절처럼 생각했어요. 밥과 간식을 해 먹고, 도서관에 못 가니까 책을 좀 자주 샀어요. 가족이 함께 영화도 무척 많이 봤네요. 두 아이들이 워낙 집돌이인데도 나가고 싶다고 하는 거 보면 너무 오래 집에 있었나 봐요. 쉽지 않은 시간이에요.

최근 《집, 사람》을 오랜만에 다시 읽었어요. 아이를 낳고 기르는 서투른 엄마와, 매일 조금씩 자라는 아이의 성장이 담겨 있어요. 그 이야기가 이 집에서 차곡차곡 쌓여온 거죠?
맞아요. 재희가 다섯 살, 태오가 두 살 때부터 여기에 살았으니까 두 아이를 키우는 시간의 대부분이 이 집에 있죠. 작은 집이지만 우리 집이라는 마음을 처음 갖게 해준 집이에요. 저희가 그동안 이사를 꽤 다녔거든요. 저와 남편은 대전 사람인데 남편 일로 신혼집을 서울에 차렸다가 오산으로 옮겼다가 급하게 용인에 왔어요. 그만 떠돌고 싶어서 무리해서 집을 샀어요. 아이들도 집을 정말 아끼는데 신기하게 이이 친구들도 우리 집을 정말 좋아해요. 놀잇감이 많진 않은데 간식을 잘 챙겨 줘서 그런가?

왜 좋아하는지 알 것 같아요. 현관문을 딱 열었는데 막 옥수수를 삶은 듯한 포슬포슬한 온기가 느껴졌어요.
좀 편안하게 느끼는 걸까요? 사실 남편이 온전히 재택근무를 하니까 이 동네에 굳이 살 필요가 없어서 이사 갈 생각도 했어요. 하지만 재희가 이곳에서 학교에 다니고 있고, 친구도 여기 있어서 떠나고 싶지 않대요. 결정적으로 태오가 "우리가 이사 가면 우리 집이 너무 슬퍼할 거 같아."라고 말해서 여기서 더 지내보기로 했어요.

남편이 재택근무를 하면서 삶의 패턴이 많이 달라졌겠어요.
맞아요. 저희가 결혼 11년 차인데요. 남편은 늘 출퇴근을 하는 일상이었고 남편과 아이들이 나가면 저만의 시간을 보내왔어요. 처음엔 주말이랑 다를 바 없다고 생각했는데 지내보니 제가 쌓아 놓은 리듬이 많이 흐트러지더라고요. 오전에 아이들 보내고 나면 간단히 요기를 하고 청소를 하곤 했는데 남편이 그 즈음 회의를 해요. 그럼 청소를 못 하죠. 이상한 시간이 생겨요. 이것도 아니고 저것도 아닌 시간이요. 남편은 이 시간에 글을 써보라고 하는데, 시간이 남는다고 글이 써지는 건 아니니까요(웃음). 남편이 모르던 저만의 루틴이 있는데, 일하는 남편을 방에 두고 저만 좋아하는 노래를 거실에 틀어놓는 것도 미안하고, 어쩌다 남편이 "이건 무슨 노래야?" 하고 아는 체하는 것도 괜히 싫더라고요(웃음). 몇 달 동안 남편은 침실 한쪽에 책상을 두고 일했어요. 회의를 하거나 통화를 할 때면 우리 셋이 갑자기 조용히 해야 하는 상황이 종종 생겨서 불편했어요. 모두가 행복할 수 있도록 집 안의 공간을 새로 정비했어요.

어떻게 바뀐 건가요?
일하는 자리와 쉬는 자리의 분리가 필요했어요. 남편 책상을 침실에서 빼고, 아이들 책상과 함께 방 하나에 모았어요. 원래 옷방이었던 곳이 일하고 공부하는 방이 된 거예요. 옷 갈아입을 때만 들어가는 방이라 보기엔 깔끔했는데 짐을 옮기려고 꺼내보니까 어마어마했어요. 짐이 주인인 공간을 사람이 쓸 방으로 만드는 일이 이렇게 힘들 줄 몰랐어요. 정말 무모한 도전이었어요. 작아진 물건과 쓸모없어진 것, 묵혀둔 것들을 정리하고 당근마켓에 많이 팔았어요. 큰 방 한쪽에 붙박이장을 짜서 옷은 거기로 다 옮겼고요. 부부의 작은 침실은 아이들 침실이 되고 아이들이 쓰던 넓은 방이 부부의 침실이 되었어요.

방마다 각자 새로운 역할을 부여받았네요.
네. 방도 바꾸고 살림도 다듬었어요. 더 오래 지내기로 마음먹으니 묵은 살림들이 눈에 들어왔거든요. 어깨가 아프도록 닦아도 얼룩이 지워지지 않던 싱크대 타일을 바꿨어요. 시공 업체에 문의했더니 가구가 있는 상태로는 안 해주신다고 해서 남편과 둘이 시작했어요. 잘고 잘은 타일을 매만지고 하나하나 붙이고 틈을 메우고 닦으면서 고뇌와 번뇌의 순간이 많았어요. 다음에 정말 이 집을 떠난다면 싱크대 앞에서 울지도 몰라요(웃음). 타일이 남아 다용도실 바닥에도 붙이고 이참에 다용도실도 정리했어요. 보기 좋게 정리되어 있었지만 안 먹고 안 쓰는 것들이 계속 늘어났거든요. 묵은 곡류는 비우고 싱크대 속 살림을 재정비하면서 소형 가전은 손 닿기 좋은 동선을 찾아 자리를 바꾸었어요. 하나의 공간을 바꾸는 일이 다른 공간을 건들지 않고는 힘든 일이라 큰방에 있는 욕실도 손보게 되었지요. 원래는 사용

을 안 해서 가구로 막아 두던 공간인데 아이들이 크니까 욕실 하나로는 부족하겠더라고요. 고치면서 속을 많이 썩였어요. 애써 고른 세면대는 문 열리는 공간이 안 나오고, 실측을 여러 번 하고도 도기가 맞지 않고, 무늬가 엉망인 문이 오고, 물이 새기도 했어요. 이걸 하겠다고 덤비다니 참 용기있었네, 싶어요.

집이 주는 분위기를 유지하면서 손을 본 거 같아요.
저는 분위기를 중요하게 생각해요. 핀터레스트나 영화에서 제가 좋아하는 분위기를 발견하곤 하는데, 대개 음식을 만들거나 아이들과 노는 장면이에요. 어떻게 하면 우리 집에 저런 분위기를 구현할 수 있을까, 많이 고민해요. 물건을 하나 살 때도 집 분위기에 어울리는지를 오래 생각해요. 제가 계속 가지고 있고, 오래 쓰고 싶은 건 색이 많이 들어가지 않은 나무 색감의 톤과 만져볼 때 좋은 질감의 나무예요. 새로운 걸 샀는데, 남편이 "우리 집에 원래 있는 건가?" 하면 성공이구나 해요(웃음).

오래 고민해서 집에 들인 것 몇 개만 소개해 주세요.
누군가 집 안의 가구를 사는 데 고민한다면 "식탁을 좋은 걸 사세요."라고 말해주고 싶어요. 이제는 아이들이 커서 좀 작은 감이 있는데 식탁에서 지내는 시간이 많아요. 식사하고 나면 아이들이 여기서 공부를 하고, 간식을 먹고 그림을 그려요. 저녁을 먹고 제가 글을 쓰면 아이들이 어느새 곁으로 와 놀고요. 정말 다용도지요. 전등도 좋아해요. 오래된 시간이 묻어 있는 물건이 좋아서 빈티지를 하나씩 모아요.

물건들이 쓰임에 맞게 제자리를 잡은 듯 보여요.
수납은 예쁘게 하는 게 아니라 보기에도 쓰기에도 좋은 자리를 잡아가야 하는 일이라서 늘 생각이 많아요. 쓰기가 좋은 수납으로 다듬고 손보며 느리지만 조금씩 내 것이 되어가는 거 같아요. 높은 책장을 거실에 둔 적이 있는데 아이들이 위에 있는 책들을 못 꺼냈어요. 그래서 위에는 아이들이 덜 읽는 책을 놓게 되니까 그 책장은 쓸모가 없어졌어요. 쓰임을 다한 물건은 정리하고 쓸모 있는 물건을 찾아 동선을 짜요. 낮은 책장으로 바꾼 뒤 아이들이 언제나 쉽게 꺼내어 보고 정리도 잘해요. 거실 소파도 커진 아이들에게 필요해서 들였는데, 남편이 집이 더 좁아 보일 거라고 반대했어요. 제게 다 생각이 있었죠. 소파와 책장 사이에 공간을 두고 배치했는데, 아이들이 이 길을 너무 좋아해요. 등 기대서 책도 보고 여기서 놀이도 해요.

《집, 사람》에서 재희가 '요리왕 엄마' 상패를 준 게 아직도 주방에 붙어 있네요. 주로 어떤 음식을 만들어요?
다시 받을 수 없는 거라서 아직 붙여 뒀어요. 한식을 주로 해요. 메인 음식 하나를 하는데 순두부찌개, 된장찌개, 김치찌

개, 닭볶음탕 등을 해 먹죠. 아침에는 간단하게 먹는 걸 좋아하고 저녁은 미트볼 파스타, 불고기 등 이것저것 시도해 봐요. 신기하게도 요리에는 겁이 없어요. 처음에는 맛이 덜해도 많이 도전해서 맛을 찾아가요. 빵을 굽고 쿠키 만드는 것도 좋아해요. 요리는 할수록 재밌고 힘들지 않아요.

요리가 왜 즐거워요?
요리는 치료같아요. 아이가 감기 기운이 있으면 밥을 한 끼 정성 들여 해서 먹여요. 제가 의사나 약사는 아니지만 아이들이 밥을 먹고 한숨 자고 나면 괜찮아지는 날이 있잖아요. 정성과 좋은 기운을 모아서 한 끼를 만들고 '잘 먹고 자고 나면 나을 거야.' 하고 확신을 주는 거예요. 아이들이 그 기운을 받는다고 생각해요.

그래도 하루 세끼는 좀 힘들잖아요. 밥 시간이 정말 빨리 돌아오더라고요.
맞아요. 처음 한 달은 꼭 세 끼를 차려 먹어야 한다고 생각해서 열심히 해 먹었어요. 학교와 유치원에서 우유도 먹고 간식도 먹고 식사도 잘 나오는 편이니까요. 집에 있는데 덜 먹이면 안 될 거 같아서, 밖에 있는 것만큼 먹이려고 노력해서 재희도 저도 살이 좀 올랐어요. 한 달이 넘어가니 힘들더라고요. "더 이상 안 될 것 같아. 우리 집은 두 끼만 먹자."고 선언했어요. 요즘은 아침 겸 점심을 먹고 2시쯤 출출하다 싶으면 간식을 먹고 저녁을 먹어요.

아이들이 뭐든 잘 먹는 편이에요?
아니요. 많이 나아졌지만 재희는 지금도 편식이 있어요. 태오는 맑은 국만 먹고 재희는 찌개를 좋아해요. 처음엔 각각 열심히 해보겠다고 했는데 어느 순간 너무 힘들더라고요. 오삼불고기를 만들었는데 애들이 먹기 싫은 표정이면, 설명을 해줘요. "이거는 뭐랑 뭐를 넣고 이렇게 만든 거야. 엄마가 아빠한테 처음 해준 요리였어. 아빠가 자취할 때 엄마가 장을 봐서 했는데, 아빠가 정말 좋아했어. 아빠의 최애 음식이야." 라고요. 그럼 "나도 한번 먹어볼까?" 해요. 먹어보고 나쁘지 않으면 먹을 만한 음식이 되는 거죠. 오징어를 안 좋아하는 재희를 위해 떡도 함께 넣어요. 이제는 "오삼불고기 할 거야." 그러면 "아빠가 좋아하는 음식이네." 해요. 아이들이 찾는 음식이 아니더라도 아빠가 좋아하는 것도 하고 엄마가 즐기는 음식도 만들고 태오가 좋아하는 거, 재희가 좋아하는 거를 번갈아 가며 만들어요. 누가 "너희 엄마 뭐 좋아하니?" 물어보면 모를 수도 있잖아요. 서로의 취향을 알아가고 상대가 좋아하는 거라 한 번 시도해 보는 것. 그것까지가 요리의 완성인 거 같아요.

집은 삶의 모양에서 시작된다

아이들과 지내는 모습이 편하고 자연스러워 보여요. 처음부터 육아가 편했나요?
아니요. 저도 아이를 낳자마자 아이가 예뻤던 사람은 아니에요. 조리원에서 만난 엄마들은 아이를 세상에서 가장 예뻐했어요. 저는 몸이 너무 힘들어서 그런지 그 정도 마음은 들진 않더라고요. 모성애에도 아이와 친해지는 시간이 필요하다는 생각이 들었어요. 제가 재희하고만 보낸 시간이 꽤 길었잖아요. 육아가 처음이라 어떻게 감정을 눌러야 하는지 몰라서 화도 많이 내고 감정을 막 분출했어요. 소리도 꽤 질렀어요. 태오에게는 그런 적이 거의 없어서 태오는 제가 목소리 톤이 조금만 높아져도 눈물을 흘려요. 잘못된 거를 설명하면서 설득해줬지 감정적으로 대하진 않았는데, 재희에게는 꽤 많이 보여줬네요.

재희는 생각이 깊고 섬세한 아이 같아요.
농담으로 하는 말인데, 산후조리원에서도 산후조리사분들이 "얘는 왜 의젓해요? 왜 잘 울지도 않아요? 울음 끝이 조금도 길지 않아요?"라고 말하곤 했어요(웃음). 신기해요. 어릴 적부터 설명을 하면 명확하게 알아듣고 행동하는 아이였어요. 의지가 되는 면도 많아서 저희 부부는 모든 일을 재희와 상의해요. 어른과 다름없이 생각을 존중해 주고, 동생 일과 아빠에게 생긴 변화도 다 설명해 주고 함께 의논해요. 다만 워낙 섬세해서 처음이 어렵고 예민한 부분이 있어요. 그건 제 영향이 컸을 거라는 생각도 있어요.

어떤 아이든 기르면서 힘든 부분이 있잖아요. 재희는 어땠어요?
재희가 2학년 때였나 학교에서 인성검사를 했어요. 제일 높은 지수가 배려심이고, 100점을 받았어요. 하지만 저는 너무 속상해서 눈물이 날 뻔했어요. 다른 엄마들에게 이야길 많이 들었거든요. "재희는 발을 밟혀도 화를 안 내요. 조심해. 이렇게만 말해요." 칭찬으로 해주셨지만 정말 속상했어요. 발을 밟히거나 친구가 잘못한 행동을 하면 화를 냈으면 좋겠더라고요. 그 결과지를 들고 재희랑 이야기했어요. "엄마는 배려심 100점은 좀 속상한 것 같아. 다 참을 필요는 없어." 재희도 같은 생각을 했대요. "엄마, 나도 이제 너무 많이 속상하면 표현하려고 노력해."라고 했어요. 아이를 키우면서 나의 부족한 점을 발견하면 참 속상해요.

나보다 조금 더 나은 사람이 되면 좋겠는데 말이죠?
아이를 낳아 기르는 일은 내 안의 덜 자란 꼬마를 함께 키우는 거라는 말이 있잖아요. 재희를 키우다 보면 문득문득 저의 어릴 적 닮은 상황을 발견해요. 아팠던 거, 긴장되었던 일, 상처가 된 것들이 떠올라요. 어린 내가 재희 옆에 서 있는 걸 바라보는 기분이 들어요. 그럴 때마다 제가 했던 것과는 반대의 것을 가르쳐주곤 하는데 사실 내 것이 아닌 걸 알려주는 셈이죠. 김애란 소설에 "너는 자라서 내가 되겠지… 겨우 내가 되겠지."라는 말이 있잖아요. 남편과 이런 말을 했어요. "우리는 우리와 생긴 것도 성격도 비슷한 사람을 낳고 살아가는 거야. 그런 운명이야." 첫아이 재희는 저희 부부를 함께 자라게 해주고 있어요. 저희가 재희에게 해주는 따뜻한 말이나 위로는 사실 그 옆에 서 있는 어린 저에게 해주는 말이기도 해요.

재희가 10대가 되었잖아요. 감정의 변화가 있나요?
최근 변했다 싶은 일이 있었어요. 롤러스케이트를 타러 가서 재미있게 놀고 집에 왔는데 재희는 재미없었대요. 더 놀아야 한대요. 저희는 롤러스케이트 탄다고 너무 피곤했거든요. 혼냈더니 방으로 들어가서 문을 닫는 거예요. '아, 이날이 왔구나.' 했어요. 태오가 가서 보더니 "형아가 혼자 있고 싶대."라고 말을 전해주면서 물티슈로 그렁그렁한 형의 눈을 닦아줬어요. 서로 마음의 독립을 해야 하는 시기가 다가오고 있는 거 같아요.

태오는 발랄하고, 감정에 솔직한 편 같아요. 두 아이가 참 달라 보여요.
재희처럼 의젓한 친구를 키우다가 '아, 그래서 사람들이 아들 키우기 힘들다고 하는구나.'를 알았어요. 남편이 태오 데리고는 외출 안 한다고 할 정도로 유니크한, 처음 키워보는 캐릭터예요. 한 예로 제가 딸기를 씻으면 재희는 기다려요. "먹어도 돼." 하면 먹어요. 태오는 엄마가 씻기 전에 손이 덥석 가는 아이예요. 만약 이 아이가 첫째였다면 많이 혼났을 텐데, 굳은살이 생겨서 '그때는 원래 그래.' 하면서 지켜보게 되네요. 태오에게는 그 방법이 잘 맞았나 봐요. 많이 혼냈다면 눈치 보고 자기 걸 표현 못 했을 텐데, 여유를 갖고 그래 한번 해봐, 하니까 '별 거 아니네?' 하고 다음부터 안 하는 거죠. 확실히 더 용기 있고 호기심이 많아요. 재희를 키우고 보니까 이 아이의 장점이 눈에 잘 들어오는 듯해요.

부부가 아이들에게 알려주고 싶은 삶의 태도가 있나요?
아이러니하게도 저희가 알게 모르게 교육한 건 배려심이에요. 배려하는 마음, 다른 사람에게 피해 주지 않는 마음을 늘 가르쳤어요. 요즘은 네 몸과 마음을 스스로 챙겨야 한다는 얘길 해요. 욕심 있게 자기를 챙기고 다른 친구도 챙겨줄 수 있기를 바라요. 사회에 내보내니까 유치원과는 또 다른 세상이에요. 학교는 일이 정말 많더라고요. 최근 재희는 반대 성격의 아이들과 재미있게 놀아요. 그런 친구들과 놀다 보면 조용한 친구가 손해 보는 일이 생길 거예요. 어떤 상황에서도 단단하게 자신을 지키는 사람이었으면 좋겠어요.

아이가 커가면서 부모로서 고민되거나 관심을 두는 일도 달라지는 거 같아요. 최근의 고민이나 관심사가 궁금해요.
두 아이가 아직 예체능 외의 학원은 안 다녀요. 그래서 아이들 친구 엄마를 만나고 오면 좀 힘들어요. 뭐는 이미 했고, 지금은 뭘 하며, 어느 대회에 나가고 뭘 받았고 하는 얘기들이 들리죠. 우리 아이들은 아직 드러나는 게 없으니까 이렇게 하는 게 맞나 하는 생각이 들어요. 한번은 도서관에 책을 늦게 반납하러 간 적이 있어요. 우리는 도서관 가방을 메고 가는데 친구들은 학원 차를 타려고 영어 단어를 외우며 줄을 쫙 서 있어요. '책 빌리러 다닐 때가 아닌가?' 하는 생각이 드는 거예요. 지금까지는 괜찮았어요. 꾸준히 엄마가 해줄 수 있는 선에서 관심 있게 봐주고 아이들이 질문하면 검색해서 찾아주고, 다큐멘터리를 보고 환경부터 사회적인 문제도 이야길 나누고 있어요. "저 사람 왜 그래? 왜 이런 일이 생겨?" 묻고 대화하죠. 하지만 이게 과연 언제까지 괜찮을까 하는 의문은 늘 들어요. 어느 시기가 오면 차를 태워 아이를 학원에 보내야겠죠. 늘 고민이지만 답이 없는 문제 같아요.

아이들이 요즘 빠져 있는 것도 있어요?
재희는 마인크래프트를 가장 좋아해요. 집을 설계하고, 괴물이 오면 방어도 할 수 있게 집을 만드는 게임이래요. 설계를 바탕으로 입체적으로 레고로 구현하는 게 지금 제일의 관심사예요. 아직은 고맙게도 스마트폰도 없고 친구들이 하는 게임을 보고 하고 싶으면 아빠한테 말하곤 해요. 아빠가 밤에 한번 죽 훑어보고 할 만하다 싶으면 잘한 일이 있을 때 한 번씩 시켜줘요. 재희는 주로 그림을 그리고 노는 아이여서 일관되게 꿈이 화가였는데 지금은 건축가로 바뀌었어요. 아름답게 만들어보는 걸 좋아해요. 태오는 공룡이었다가 고래였다가 지금은 곤충이라 곤충 다큐를 열심히 봐요. 태오는 꿈이 너무 많아요. 고정적으로 나오는 건 공룡 발명가, 화석 발굴가예요.

부부 간의 관계도 참 편안해 보여요. 마음의 무게를 안정적으로 맞춘다고 하셨는데, 어떤 태도로 서로를 대하나요?
남편과 싸울 일이 정말 없었어요. 처음 싸운 게 아이를 대하는 태도와 방식 때문이었어요. 서로 너무 다르게 자랐잖아요. 자기가 아는 방식이 있으니까 부딪히는 거예요. 솔직하게 말하고 이야기를 많이 나눴어요. 표현력이 좀 부족해서 그렇지 남편 생각이 훌륭할 때가 더 많아요. 물론 문제를 해결하는 방식은 좀 달라요. 저는 상황을 빨리 해결하고 싶어 하는데 남편은 시간이 필요한 사람이에요. 처음엔 그게 너무 힘들었는데 저는 시간을 주는 법을 배웠고 남편은 빨리 얘기하는 법을 배웠어요. 아이가 너무 어릴 땐 대화할 시간이 없었어요. 부부 침실을 두게 된 것도 대화할 시간이 너무 부족해지니 둘만 있으면 어색한 시기가 오는 거예요. 서로 얘기하고 놀 시간이 필요했어요. 의식적으로 점심시간에 만나서 외식을 하거나, 남편이 밥을 먹으러 집에 오기도 했죠. 그렇게 둘이 잠깐씩 노는 게 아이들이랑 다 같이 있는 거랑 또 다른 재미였어요.

집에 오래 머무는 편인데, 내가 정한 하루의 시작과 마무리 의식이 있나요?
네. 의식적으로 아침이면 커튼을 걷고 블라인드를 열어요. 그게 저한테는 국기 게양 같은 거예요. '오늘이 시작되었어.'라는 의미예요. 아이들이 저보다 더 일찍 일어날 때도 있는데 이제 재희가 배워서 블라인드를 열어요. 그 소리가 나면 아침이구나 하고 저도 침대에서 일어나요. 저녁에 해가 질 즈음 커튼을 그리는 것 또한 저한테 중요한 의식이에요. '오늘이 끝났어. 마감이야.' 가끔 외출해서 늦게 들어온 날, 깜깜한 밤인데 블라인드를 안 내려놨으면 이걸 안 내렸네, 하며 뭐라고 할 때도 있어요.

매일 반복되는 살림의 즐거움이 궁금해요.
저는 결혼 전 365일 중에 360일을 체해 있을 정도로 참 예민한 사람이었어요. 가정을 이루고 살림을 하면서 좀 둥글어졌어요. 매일같이 요리를 하면서 음식을 완성했다는 기쁨보다 만드는 과정의 아름다움을 깨달았어요. 재료 하나하나 깎아 놓으면 그 자체로도 얼마나 예뻐요. 각 맞춰서 빨래를 정성스럽게 접고 정돈하는 내 손은 얼마나 아름다우며, 그 정돈됨을 이루어가는 과정이 정말 가치있다고 생각해요. 인스타그램에 종종 음식을 다 먹은 접시 사진을 올리는데 '좋아요'를 많이 눌러 주세요. 잘 차려진 것보다 지저분하고 찌꺼기도 남아 있지만 그 과정을 알고 보시는 거잖아요. 모두가 자기 삶 안에서는 주인공이에요. 다른 사람과 비교하는 날도 있지만, 내가 내 삶에서 제일인 삶을 살면 된다고 생각해요. 주어진 조건 안에서 내가 할 수 있는 걸 최선을 다해서 살면 '나도 멋져. 너무 잘했는데?' 칭찬해 주면서 살아요.

하루 중 가장 설레는 일과가 있다면요?
'코로나방학'이 시작된 후로는 아이들 온라인수업을 봐주고 늦은 아침을 먹어요. 아침 설거지가 끝내고 집 정돈도 하고 그사이에 아이들도 수업이 끝나요. 그럼 과제 한 것들 다시 점검해주고 엄마와 함께해야 하는 숙제도 해요. 그것까지 끝나면 드디어 커피를 만들어서 마실 수 있는 여유가 찾아와요(웃음). 1부 끝. 혹은 인터미션 같은 느낌으로 커피를 만들어서 한잔 느긋하게 마셔요. 하루 중 가장 기다려지는 순간이지요. 커피콩을 갈 때부터 즐거워요. 가루가 된 커피콩을 여과지에 부어 뜨거운 물을 따르고 커피를 내리는 순간 몰입이 주는 기쁨이 아닐까 싶어요. 또 제가 참 좋아하는 루틴이 있는데, 저만의 시간에 혼자 바구니를 가지고 집 밖을 나서는 일이에요. 제가 발 딛는 동선이 있어요. 먼저 꽃집에 들러 꽃을 사요. 꽃을 사면 정말 기분이 좋아요. 길 가다가 꽃을 든 사람을 봤을 때 느끼는 감정이 있잖아요. 채소 하나 사는 거랑 비슷하지만 즐거워요. 옆에 있는 마트로 옮겨서 장을 좀 보고, 빵집에 가서 빵을 사고 동네 한 바퀴를 돌고 집 앞 카페 2층에 앉아서 멍하니 구경해요. 관찰하는 걸 워낙 좋아해서 어디 앉아도 한 시간, 두 시간 휙 지나가요. 누가 뭘 사네, 어떤 표정이네, 이런 걸 멍하니 바라봐요. 그 시간이 글을 쓰거나 남은 오후를 보내는 데 많은 도움이 돼요. 정리하는 시간인가 봐요. 바람 맞고 걷고 오면 참 좋아요.

코로나19가 수그러들면 가장 하고 싶은 일은 동네 한 바퀴겠네요.
맞아요. 또 하나가 더 있다면 태오랑 곤드레밥집 가는 거요. 태오가 요즘 곤드레밥의 맛을 알았거든요. 큰길 지나면 곤드레밥집이 있는데 간판을 볼 때마다 저길 가고 싶다고 해요. 다음에 꼭 가자고 했는데 여태 못 가고 있어요.

아무것도 하기 싫은 날도 있어요?
그럼요. 정말 고단한 날은 집안일을 내려놔요. 피로한 상태에서 집을 말끔하게 하려고 노력한 적이 있어요. 그러면 여유가 없으니까 아이들에게 짜증을 내게 돼요. 경험해 보고 절대 그렇게 하면 안 되겠다는 걸 알았어요. 그런 날은 "엄마 10분만 누워 있을게." 말하고 잠깐 침실에 들어가 졸고 나오면 괜찮아요. 그리고 체크리스트를 써놓고 지우는 방법도 꽤 도움이 돼요. 꼭 해야 하는 일, 우선순위 정해서 서너 개 정도 써놔요. 그중에 두 개 정도만 지워내도 개운하더라고요. 내가 오늘 다른 건 못 해도 이건 한다, 하면서요.

오늘 하루도 잘 지냈구나, 안도감이 드는 순간도 궁금해요.
블라인드 내릴 때와 씻은 아이들 머리 말려줄 때요. 예전에는 로션도 발라주고 옷도 갈아입혔는데, 이젠 커서 둘이 씻어요. 저는 침대에 몸만 쏙 들어가게 이불 정리 해두고 드라이어 해주면서 잘 자라고 방에 들여보내거든요. '이것만 하면 오늘 내 일이 끝이구나.' 싶은 마음도 있고요.

그렇지 않은 날은 어떻게 견뎌요?
가장 하기 싫은 걸 해요. 욕실 청소하기, 음식물 쓰레기 버리기 같은 일이요. 제일 하기 싫은 이유는 내 마음의 짐인 경우가 많아요. 마치고 나서 리스트에서 지워요. 리스트에서 그어진 걸 보면 마음이 한결 나아져요. 사람 관계 때문에 힘들 땐 남편이랑 얘기를 많이 해요. 치졸한 인간의 감정, 누구한테 말하기 어려운 걸 얘기할 수 있는 사람이잖아요. 남편이 별다른 대꾸는 안 하지만, 털어놓고 나면 괜찮아져요.

집에 자주 있지만 바깥의 자극이 필요할 때도 있을 텐데요.
외출을 자주 하진 않지만 개인적으로 꽤 오랜 기간 이어온 모임이 있어요. '안나책방'이라고 1년에 두세 번 만나는 소모임인데, 정말 다양한 분야의 다채로운 연령대의 분들을 만나요. 자주 만나는 게 아닌데도 좋은 이야기를 들으니 마음이 채워져요. 마음이 맞으니 닮은 고민이 아니어도 만나는 지점이 있고요.

계속해서 일상을 관찰하고 기록하실 거죠?
쓰는 게 꽤 즐거워요. 고통스러울 때도 있지만 재미있어요. 머릿속에 작게 저장했는데 펼쳐 쓰면 선명하게 세세하게 보여요. 학교 다닐 때부터 보여주려고 한 건 아니었지만 글도 열심히 썼고 작게 출판물 교지도 해봤어요. 직장 생활할 땐 블

로그에 글을 쓰고요. 그걸 계기로 책도 내게 되었지요. 올해와 내년에도 책이 한 권씩 나올 예정이에요. 지금 내가 하고 생각하는 것들이 나중에 보면 이상할 수 있어도 성실하게 기록하는 사람이 되고 싶어요. 출판처럼 뭔가 결과물이 있으면 감사한 일이지만 그게 아니라도 계속해서 쓰고 싶어요.

다른 꿈도 있어요?
남편과 함께 꾸는 꿈인데요, 나중에 아이들이 안정적으로 크고 나면 대학에 갓 들어간 청년들을 위해 좋은 집을 짓고 싶어요. 밖에 나가면 멀쯤하지만 몸 하나 누우면 끝인 공간에 사는 친구들이 많아요. 원룸을 가진 빌딩인데 늘 밥이 있고 좁은 공간일지언정 곰팡이 피지 않고 녹슬지 않는, 관리가 잘된 집을 짓고 싶어요. 사회가 순환할 수 있게 좋은 어른이 되고 싶어요. 재미있을 거 같아요.

그 집을 재희가 만들면 더 좋겠네요.
EBS에서 그런 사연을 본 적이 있어요. 딸이 집을 짓고 부모님이 제일 꼭대기에 살더라고요. 아 그렇게 되면 너무 멋지겠네요.

다섯 살 재희에게 집은 '사랑하는 사람들이 사는 공간'이었지요. 지금은 어떻게 생각한대요? 태오가 생각하는 집도 궁금해요.
재희는 지금도 비슷해요. 집은 가족과 쉬는 공간이라고 하더라고요. 태오에게 물어봤더니 그러네요. "집은 나무야. 태오는 코알라고." 더 설명은 없대요(웃음).

수경 씨도 어릴 때 살던 집의 기억이 있어요?
태어나 13년을 살던 집은 마당이 있는 이층집이었어요. 요즘도 많이 힘든 날에는 꼭 그 집 꿈을 꿔요. 이유는 모르겠는데 평안한 것을 찾고 싶어 하는 방어기제일 수도 있고요. 건강한 모습의 할머니 할아버지와의 추억도 있고 젊은 엄마 아빠, 아주 어린 동생이 꿈에 나오면 마음이 너무 좋아요. 그냥 같이 식사하고 마당에서 노는 풍경인데도 말이죠. 지금 생각해 보면 그 시절의 우리는 참 행복했고 예뻤어요. 살면서 무너지는 순간에 결국 나를 지탱해 주는 것은 행복하고 따뜻했던 유년의 기억이에요. 아이들에게 이 집이 그랬으면 좋겠어요. 좀더 자라 여러 일에 부딪칠 때 떠올리는 것만으로도 의지가 되고 위로가 되는 존재요. 제가 그랬던 것처럼.

지금의 집은 수경 씨에게 어떤 의미예요?
가족이 가진 계절이 가장 많이 담긴 공간. 계절은 여러 의미가 있어요. 수박 잘라서 나누고 낙엽 떨어진 거 구경하고 눈 내리는 날 핫초코 타서 추운 데서 먹은, 사계절이 잘 드러나는 곳이자 각자의 계절일 수도 있어요. 키가 아주 작았다가 커지고, 어떤 문제를 겪고 힘들어했다가 이겨내서 어느새 이만큼 자라요. 집 안에 사는 사람들이 잘 성장하고 그 사람들의 계절이 다 있는 공간이에요.

집, 관찰자의 일기

월요일 | 창가의 나무들

겨울에 싹둑 가지치기를 한 화단의 나무는 2층집 창밑에 겨우 까치발이 닿았다. 톡톡톡 창문을 두드리던 가지에 보송보송한 봄눈이 돋아 있던 것도 불과 며칠 전 일인데, 볕 고운 날들을 지나는 동안 잠깐 눈 비비는 사이에도 잎이 나더니 어제 내린 비를 맞고 밤사이 숲이 무성해졌다. 바람이 불 때마다 창을 다 덮은 연두가 일렁이는데 태오가 그 앞에 서서 자꾸 손을 흔들었다. 나무가 인사를 해서 자기도 대꾸를 해주는 거라고 했다.

화요일 | 접시

설거지하고 잘 마른 접시를 정리하다가 문득 접시 서랍을 들여다본다. 하나씩 하나씩 모은 내 그릇들이 반질반질 참 예쁘다. 작고 파란 꽃이 그려진 건 우리 재희 제일 좋아하는 들기름에 부친 달걀 프라이를 담아주는 접시. 고운 레이스를 닮은 접시는 우리 태오 카레 담아주는 것. 노릇하게 구워낸 저녁 생선을 올리는 것은 길고 색이 짙은 녀석이고, 반 가르면 하트가 되는 봄 토마토는 아끼는 제비무늬 접시에 담는다. 접시 서랍 안에도 우리들의 식탁 이야기가 담겨 있다.

수요일 | 종이컵 전화기

종이컵에 실이 빠져나갈 만큼만 아주 작은 구멍을 내고 빨간 실을 길게 늘여 컵 두 개를 잇는다. 컵을 한 개씩 나누어 들고 실 길이만큼 멀어져 나는 듣고 너는 말하고, 내가 말하면 너는 듣는다. 그러면 신기하게도 그 얇은 실 끝을 따라 아주 작은 소리가 전해진다. 너무 심심해하는 태오와 종이컵 전화기를 만들며 놀았다. 실 끝을 잡은 태오가 내게 처음 한 말은 "엄마."였다. 종이컵 전화기로 전해 들은 그 말이 태오가 나에게 가장 처음 한 말과 같아 새삼스럽게 코가 시큰했다.

목요일 | 야근자의 밤

재택근무자가 된 남편은 사실 몸만 집에 있다뿐이지 늘 바빠 밤낮으로 일할 때가 많아 안쓰럽다. 목요일은 맡아 놓은 야근일인데, 아이들이 잠든 지 한참이 지나고 조용히 틀어 놓은 영화 한 편이 다 끝나도록 퇴근을 못 하는 날도 있었다. 그럴 때는 따끈한 차를 새로 만들어 남편의 책상맡에 가만히 올려준다. 깊고 깊은 밤, 잠든 아이들의 숨소리를 꿋꿋이 지키는 아빠의 무게. 새벽녘까지 책상 방에서 새어 나오는 불빛을 바라보면 고맙다는 말로는 다 못 할 감정들을 느낀다.

금요일 | 까치집 머리

1학년은 티브이로 EBS를, 형아는 노트북 앞에 앉아 온라인 수업을 시작하는 아침이 이제 일상이 되어 간다. 7시 50분이면 반짝 눈이 떠진다는 두 아이는 시키지 않아도 이불을 예쁘게 개켜 놓고 나와 제 공부 자리에 앉는다. 녀석들의 종알거리는 소리가 내게는 알람 시계다. 요즘 일어나 가장 처음 만나는 것은 부스스 귀여운 두 녀석의 까치집 머리.

토요일 | 딸기 화분

봄이 되면 베란다에서 놀고 있는 화분에 식물을 심어야겠다는 소박한 계획이 있었다. 외출이 자유롭지 못하다 보니 꽃 농원에 언제 갈 수 있을지 알 수 없어, 난생 처음으로 온라인 농장에서 식물을 사보기로 했다. 초록들 사이에서 딸기 화분을 발견하고는 눈이 커다래졌다. 열매 맺는 것을 관찰할 수 있다는 말에 신나서 딸기 화분을 들이기로 했다. 나는 우리 재희가 먼저 알아볼 줄 알았다. 빨갛게 영글어 햇빛에 반짝이는 딸기가 너무 예쁘다며 재희가 화분맡에서 한참을 앉아 구경했다. 태오는 "이거 먹을 수 있는 거예요?"라고 물으며 입맛을 다셨다.

일요일 | 태오의 집

일요일 오후 태오는 갑자기 베란다에 책을 잔뜩 뽑아다가 쌓아 놓았다. 조금 후에 보니 나무 블록, 제가 만든 종이컵 전화기와 베개까지 가져다 놓고 의자에 앉아 정말 한참을 놀았다. 내가 살그머니 들여다보았더니 자기 집을 소개해 주겠다며 들어오란다. 커다란 캠핑 의자는 책방이자 침대이고, 작은 의자들은 좋아하는 것들을 쌓아 놓는 창고란다. 아하. 이런 귀여운 녀석을 보았나, 이제 보니 베란다 창문에 '태오의 집'이라고 이름표도 붙여 놓았네.

HOW TO DECORATE MY HOME

우리 집 꾸밈 안내서

오늘의집 @todayhouse 자신의 공간과 살림을 기록할 수 있고, 제품 구매와 리모델링 서비스까지 모두 이용 가능한 '원스톱 인테리어 플랫폼'. 누구나 쉽고 재미있게 자신의 공간을 만들어 갈 수 있도록 도와주며, 집을 꾸미는 방식을 새롭게 정의합니다.

에디터 김현지 취재 협조 오늘의집 일러스트레이터 윤현정

좋아하는 분위기를 담고 아끼는 공간에 꼭 맞는 물건을 찾아
'우리 집'을 만든 5인의 이야기.

Mordern

덜어낼수록 풍요로운 집

이수정 | 주부

가족을 소개해 주세요.
초록 풍경을 품은 따뜻한 도시 춘천에 거주하고 있는 평범한 주부예요. 여섯 살 장난꾸러기 아들, 사랑하는 남편과 오손도손 재밌게 살고 있어요. 아이를 키우면서 간간이 작고 귀여운 디자인 아이템을 제작하고 판매하는 일도 해요.

'우리 집은 _____ 다.' 빈칸을 채워 주세요.
'내 삶의 일부가 아닌 전체다.' 분주하게 아침을 시작하고 단정하게 집을 정돈하는 일이 참 행복해요. 타고난 집순이 성향이라 저에게 집은 제 삶의 전체죠. 필요 이상의 것을 두지 않다 보니 심플한 공간이 만들어졌어요. 저마다 어울리는 옷이 있는 것처럼 집도 그 사람에게 어울리는 분위기가 있는 것 같아요. 저에게는 더하기보다는 뺀, 모던한 공간이 가장 어울리는 것 같아요. 제 삶도 필요 이상의 것을 두지 않는 사람이 되길 바라죠.

모던한 공간을 위한 기준이 있나요?
필요한 것들을 계절에 맞게, 공간에 맞게 최대한 적게 배치하려 해요. 저희 가족이 가장 오랜 시간 머무르는 거실은 가구라고는 소파와 장식장이 전부예요. 덕분에 아이도 생활하기 편한 자유로운 공간이 되었어요. 장식장 위에 조명이나 소품, 꽃들을 바꿔주며 기분 전환을 하곤 해요. 현재 공간 분위기에 맞게 화려한 원색 제품보다는 톤 다운된 컬러 또는 화이트나 원목 제품을 선호하는 편이에요. 거실만큼 심플한 공간이 침실이에요. 정말 잠만 자는 공간을 만들고 싶었어요. 여기도 가구라고는 침대 외에는 없어요. 이사 오면서 새로 제작한 원목 침대는 조금 특이하게 헤드는 없지만 침대 사이즈에 맞게 사이드 테이블을 만들어 잠들기 전, 아이와 책을 읽고 잠들기에 아주 좋은 공간이 되었어요. 조명도 올려 둘 수 있어서 참 편하더라고요. 침실에는 침대가 두 개예요. 낮에는 따로 사용하고, 잠들 땐 아이와 셋이서 넓게 잘 수 있게 침대 두 개를 붙여 사이좋게 자요.

애정 듬뿍, 내 물건

자개모빌
비가 오고 바람이 부는 날 어느 스튜디오에 갔다가 한눈에 반해서 바로 사서 가져온 모빌이에요. 바람에 흔들리는 자개 소리를 듣고 있으면 마음이 한결 평온해지는 기분이에요. 제가 정말 좋아하는 물건이에요.

오마지오 화병
여러 화병을 구매해 봤지만, 그중 어떤 꽃을 꽂아도 조화롭게 어울려서 가장 좋아해요. 심플한 거실 한쪽에 포인트가 되어 줘요.

Mixmatch

집에 생기를 더하다

노은경 | '모던하우스' 리빙 디자이너

가족을 소개해 주세요.
경기도 구리시에서 건축 관련 업을 하는 남편과 공주병이 깊은 일곱 살 딸, 열여섯 살 보스턴테리어와 함께 살고 있어요.

집에 식물이 많은 편 같아요.
남편과 저 둘 다 취미와 관심사가 아주 다양해서 함께하는 공간을 어떤 고정적인 스타일로 정하는 게 너무 어려웠어요. 각자 좋아하는 것들로 채우되 모든 물건이 조화롭게 어울리도록 꾸미려고 해요. 특히 저는 정원에 대한 로망이 있었어요. 리모델링 하면서 거실 베란다는 확장했지만 안방 베란다엔 제 비밀 화원을 만들었죠. 좁은 공간이지만 아치형 가벽과 화이트 사각 타일로 단정하고 감성적인 시그니처 페이스를 만들고 아치를 경계로 아치 안쪽에는 직사광선을 싫어하는 식물들을, 바깥쪽엔 햇볕을 좋아하는 식물들을 배치했어요. 또 선명한 블루 컬러의 론체어와 알록달록 이케아 꼬마 의자로 나름 이국적인 분위기도 연출해 보았습니다. 도어 뒤편엔 작업대가 있어 가드닝 툴과 흙, 빈 화분들을 보관해 둔답니다. 얼마 전엔 봄을 맞아 각종 쌈채소와 바질트리를 심었어요. 딸아이가 고기는 꼭 조물조물 쌈으로 싸 먹거든요. 햇볕을 잘 받아 하루하루 다르게 자라네요. 한두 달 뒤엔 고기 파티를 할 수 있을 것 같아요.

쉽게 시작하기 좋은 식물 인테리어를 추천해 주세요.
행잉 식물을 이용해 보세요. 폭이 좁은 공간에 마땅하게 걸어둘 곳이 없다면 샤워 커튼 봉을 활용하면 좋아요. 너무 무겁지 않은 화분이라면 두어 개 정도는 끄떡없이 견딘답니다.

애정 듬뿍, 내 물건

세이코 괘종시계
소소하게 빈티지한 물건들이 어우러져 있어요. 현관에서 우리 집 얼굴 역할을 하는 시계예요.

론체어
선명한 컬러만으로도 집 안 분위기를 생기 있게 만들어 줘요. 오염에 강하고 휴대하기에도 가벼워 간단한 나들이에 제격이에요.

Colorful
컬러가 필요한 이유
김해리 | '언글래마우스' 운영

가족을 소개해 주세요.
결혼 6개월 차 새댁이자 수입 가구 브랜드에서 오리지널 디자인 가구로 홈스타일을 제안하는 일을 해요. 최근 남편과 함께 모로칸 카펫을 온라인으로 소개하고 판매하는 '언글래마우스'를 꾸려가고 있어요.

컬러가 잘 어우러진 공간이에요. 어떻게 구상했나요?
이 집은 오래된 복도식 아파트의 15평 투룸 구조예요. 처음 이 곳을 봤을 때 취향이 선명한 저희 부부에게 심심한 느낌이더라고요. 컬러가 필요했어요. 기존 싱크대는 철거하고 심심한 듯 심심하지 않은 올리브 그레이 싱크대를 설계하여 제작을 맡겼어요. 노출된 콘크리트 면을 정돈하지 않고 자연스럽게 놔둔 뒤 핑크가 섞인 살구색 페인팅을 했죠. 스메그 냉장고와 컬러 콘셉트를 맞추기 위해 주방에 들어가는 작은 디테일을 모두 화이트와 실버, 스테인리스로 정하고 싱크대 손잡이와 칼자석, 후드, 싱크볼, 천장 조명 등의 액세서리는 직접 구해서 제작 업체에 드렸어요. 요리를 좋아해서 집 크기에 비해 싱크대와 다이닝룸 공간을 넓게 사용한 편이에요.

물건의 자리를 잡아가거나 공간을 꾸미는 기준이 있나요?
가구 중 테이블과 의자를 가장 좋아해요. 물건을 구매하러 가기 전, 그 물건이 자리할 공간의 크기를 메모해 두는 게 가장 중요하다고 생각해요. 저는 공간의 크기와 물건의 비율이 예쁜지 먼저 생각해요. 그다음 무드가 맞는지 사진을 찍어보는 거예요. 사진을 찍어도 썩 마음에 들지 않는다면 이 자리가 아니구나, 판단하죠.

애정 듬뿍, 내 물건

덴마크 디자인 빈티지 테이블
메이플 우드로 추정되는 테이블은 미국에서 만들어진 제품으로 빈티지 가구점에서 우연히 발견해서 구매했어요. 익스텐션이 가능한 양쪽 날개를 모두 펼쳐서 방안에 가로, 세로 어느 방향으로 두어도 동선이 불편하지 않다는 걸 깨닫자마자 곧바로 차에 실어 왔죠.

Arne Norell의 헌팅 체어
스웨덴 디자이너 아르네 노렐의 'Sirocco'라는 라운지체어예요. 두꺼운 소가죽과 정교하게 만들어진 프레임을 보면 북유럽 디자인을 좋아하지 않을 이유가 없죠.

Natural
나무로 만든 살림
최예은 | '숲속살림' 운영

가족을 소개해 주세요.
네 살 된 귀여운 딸, 자상한 남편과 저, 세 식구가 복작복작 살고 있어요. 출산을 앞두고 일을 쉬고, 육아에 집중하는 시기를 지나 아기가 어린이집을 다니기 시작한 후로 평소 배우고 싶던 목공을 배웠어요. 평소 워낙 인테리어에 관심이 많아서 직접 만들고 싶은 가구나 소품을 '숲속살림'이라는 브랜드를 내걸고 판매하고 있어요.

집 안에 나무로 만든 물건이 많아 보여요.
처음 신혼집을 꾸밀 땐 대부분 화이트 가구였어요. 신혼 때는 몰랐는데 아이가 태어나니 하얀색이 너무 차갑게 느껴지더라고요. 다음 집은 따뜻한 색감으로 채우고 싶다는 생각이 들어 원목 위주의 가구와 소품으로 집 안을 채워 나갔어요. 그 집의 이미지를 결정짓는 건 아무래도 덩어리가 큰 가구의 몫이 크더라고요. 거실의 이미지를 결정짓는 소파는 꼭 원목으로 사고 싶었고 식탁 또한 상판은 흰색인 원목 식탁을 들이게 되었답니다. 아이가 아직 어리다 보니 자는 시간 빼고 대부분 거실에서 지내고 있어요. 아이 짐을 모두 거실로 빼 오다 보니 아기 장난감도 큰 덩어리들은 엄마 취향으로 사야겠다 싶어 주방놀이도 원목, 책상과 책장도 원목으로 두니 통일감이 들어 여러모로 서로 좋네요. 알록달록한 장난감들은 여러 사이즈의 라탄 바구니를 두고 그 안에 수납하고요.

'우리 집은 ＿＿＿＿＿＿ 다.' 빈칸을 채워 주세요.
'내 취향을 담은 단정한 집이다.' 비싸고 예쁜 아이템이 넘치는 집보다는 정리정돈이 잘된 깔끔한 집의 상태를 유지하려고 노력해요. 아이를 어린이집에 보낸 뒤 열심히 정리하고 정돈한 집에서 마시는 차 한 잔은 정말 핫플레이스 안 부럽답니다. 저는 아주 즉흥적인 타입인데 집 안에 들일 물건을 고를 땐 신중해지더라고요. '이 물건이 과연 우리 집에 잘 녹아들까, 쓰임이 많을까?' 그렇게 긴 고민 끝에 구한 물건은 어디에 놔도 집과 잘 어우러져요. 또 아이가 공간이 지겨워지지 않게 자주 거실 구조를 바꿔 주는데 바꿀 때마다 이사 온 기분도 들고, 무엇보다 아기가 바뀐 공간에 긍정적으로 반응해 주어 힘들지만 놓을 수 없는 취미가 되었네요.

애정 듬뿍, 내 물건

원목 소파
아이 있는 집에서 쓰기엔 부적합한 단단한 모서리와 밝은 패브릭이지만 이 소파가 아니면 안 될 것 같았어요. 지금 우리 집의 이미지를 만들어 준 건 이 소파가 8할은 했다고 봐요.

톰톰 벽선반
'숲속살림'이라는 이름으로 두 번째 판매한 벽선반이에요. 구체적인 디자인은 대표님이 하셨지만 큰 틀은 제가 그렸어요. 단조로워 보이는 저희 집을 한층 더 귀엽게 만들어 주는 아이템이랍니다. 요즘 우리 아기 포토존이에요.

아기 좌식 테이블
공방에서 처음으로 만든 가구예요. 만드는 데 제법 많은 시간이 걸렸지만 딱 제가 원하던 사이즈이고 무엇보다 플레이매트에 자국이 남지 않는 적당한 무게라 너무 만족하며 쓰고 있어요.

Lovely Vintage
오래된 물건이 주는 아늑함
안나연 | 아동 미술 교육가

가족과 집을 소개해주세요.
저는 아이들에게 미술을 가르치고 남편은 오케스트라에서 공연 기획을 해요. 배 속의 아가까지 예비 3인 가족입니다. 저희 집은 숲으로 둘러싸여 있어요. 집 구하러 다닐 때 많은 집을 둘러봤는데 거실 창으로 들어오는 숲에 반해서 이 집을 계약하게 됐어요.

숲으로 둘러싸인 집은 어떤 풍경인가요?
모든 창문에서 숲과 나무가 보이고, 봄에는 딱따구리, 뻐꾸기 소리가 들려요. 사계절이 거실 창을 통해서 몸으로 전해져요. 이제 딱 1년째 살고 있는데 꽃이 피고 지는 풍경, 눈이 온 숲, 나뭇잎에 비 떨어지는 냄새, 다람쥐의 총총거림을 온몸으로 느끼며 하루하루를 보내요. 저희 집 거실에는 원래 베란다가 있었어요. 리모델링 하면서 확장 공사를 하고 새시도 교체했는데, 베란다 새시를 잡고 있는 옹벽을 없앨 수 없다는 소리에 아치형으로 하나의 재미를 주자는 아이디어가 떠올랐죠. 그래서 지금의 거실이 탄생했습니다. 아치형 틀이 문이 되기도 하고 포토 스팟이 되기도 해요. 거실장 위에는 꽃, 오브제, 사진 등이 항상 널브러져 있어요. 거실은 대화와 영감의 공간이 되었으면 하는 바람이 녹아 있습니다.

집 안에 가구를 들이는 기준이 있나요?
대부분 빈티지로 구성해요. 최근에 만들어진 빈티지풍 거실장도 있지만, 저희 부부의 나이를 합친 것보다 오래된 의자와 협탁이 있기도 하고, 비슷한 나이의 조명이 저희를 밝혀 주기도 해요. 대부분의 아이템을 용도에 따라서 배치하지만 보기에도 편안하고 예쁘게 배열하려고 여러 번 옮겨 가며 최적의 장소를 찾으려고 노력해요. 요가를 할 땐 아늑한 분위기를 위해 소파로 벽을 만들기도 하고, 손님이 왔을 땐 식탁을 거실 중앙으로 옮겨서 파티를 하기도 하죠. 그때그때 바꿔 가는 인테리어가 취미예요.

애정 듬뿍, 내 물건

하얀색 빈티지 조명
이베이에서 옥션으로 구매한 것으로 저희 부부와 비슷한 나이를 가진, 영국에서 온 제품이에요. 한국으로 날아와서 인테리어 도중에 고정쇠를 잃어버려서 며칠을 안타까워했는데 남편이 직접 벽을 뚫고 이렇게 저렇게 해서 현재 모습으로 고정되었어요. 양옆으로 방향을 돌릴 수 있고 목을 자유자재로 움직일 수 있어서 실용적이고 유용해요.

피아노
저와 배 속 아가를 위해 남편이 큰맘 먹고 장만했어요. 배 속에서부터 신생아 때까진 엄마 아빠와 함께 지낼 거라는 생각에 안방으로 위치를 잡았어요. 덕분에 피아노의 '피'도 모르는 제가 손장난하며 피아노 태교를 하거나 남편이 쳐주는 피아노 반주에 노래를 흥얼거리기도 해요. 아침에 일어나면 창밖으로 보이는 숲과 피아노가 마음에 즐거움을 줘요.

이하연 | 바치 스튜디오 대표

THE FURNITURE WILL REMAIN IN THEIR HEARTS

분명하게 떠오르는 가구

어린 시절 살던 주택에는 지하 창고가 있었다. 아빠가 사주신 어린이용 의자와 테이블, 미끄럼틀이 놓여 있었는데, 그것들이 좋아 나는 자주 창고에 내려갔다. 언제 어디로 사라졌는지도 모를 낡은 가구가 아직도 기억나는 이유는 아마도 추억이 담겨 있기 때문일 테다. 잠을 자고 올라 타고 뒹구는 어린 시절의 모든 몸짓이 가구와 집안 곳곳에 닿아 있다. '바치'와 함께라면, 집에 대한 기억은 행복이란 단어와 함께 떠오를 것이다.

에디터 이다은 사진 이하연 업라소트레이터 윤알정

가구와 집 사이의 행복

웹사이트에 들어가면 '바치', '바치 포 칠드런', '바치 포 드웰링'이 각각 소개되어 있어요. 어떤 곳인지 직접 소개해 주세요.
바치는 가구를 중심으로 다양한 디자인 작업을 하는 디자인 스튜디오예요. 어린이 가구, 침구, 소품을 만드는 바치 포 칠드런bacci for children과 올해 새롭게 런칭한, 가구와 라이프 스타일 제품을 선보이는 바치 포 드웰링BFD, bacci for dwelling 두 개의 브랜드를 운영하고 있어요.

가구의 매력엔 언제 처음 빠지게 되었나요?
대학에서 건축을 전공하고 졸업 후 몇 년간 건축 아틀리에와 인테리어 스튜디오에서 일했어요. 건축 공부를 하면서도 공간 속 가구들이 주는 힘과 매력에 흠뻑 빠져 있었어요. 다들 건축 모형을 만들 때 저는 가구 모형을 만들었죠. 주세페 파가노Giuseppe Pagano Pogatsching의 Chair, 지오 폰티Gio Ponti의 Gio Ponti Leggera Dining Chairs in black&cord, 카를로 스카르파Carlo Scarpa의 Florian Table 등 1920~30년대 건축가들이 본인의 프로젝트를 위해 제작한 가구들을 너무 좋아해서 많이 찾아보고 공부했어요. 그래서 건축 일을 하면서도 자연스럽게 개인 작업을 해온 것 같아요.

바치는 개인 스튜디오로 시작한 걸로 알고 있는데요. 하나의 브랜드로 영역을 확장해 나간 과정이 궁금해요.
가구는 많은 사람들의 손을 거쳐 만들어진 다음, 고객에게 배송되고 난 후에야 완성된다고 생각해요. 개인 작업은 취미로 했지만 아이들 가구를 주문받기 시작하고 나서부터는 할 일이 많아졌어요. 제가 원하는 완성도와 서비스를 제공하려면 혼자서는 힘들겠더라고요. 내 아이를 위해 고르는 가구는 분명 특별한 의미가 있고 뭐든 더 신경 쓰게 되거든요. 고객분들에게 제대로 된 가구를 전달해 드리려면 저를 내세우는 작업실 개념이 아니라 상담부터 배송까지 완성도 있는 브랜드로 자리 잡아야겠다는 확실한 목표가 생겼어요. 감사하게도 소개를 통해 고객분들이 꾸준히 찾아 주셨고, 어느새 여기까지 오게 되었어요. 여전히 보완할 점도 있고 해야 할 일들도 너무 많아요.

어린이 가구를 직접 만들겠다고 결심한 계기가 있었나요?
주변에 아이 엄마들이 하나둘 생기면서 가구를 어디서 살지 고민하는 모습을 봤어요. 그때는 아이를 낳기 전이었고 정말 단순히 재미있을 것 같아서 크립이며 소파며 작은 가구를 만들기 시작했어요. 아이들 가구가 어른 가구보다 더 어려운데 돌이켜보면 정말 무모한 생각이었죠.

어떤 점이 어려운가요?
사이즈가 작다 보니 일반 가구에 비해 디자인적으로나 구조적으로 밀집되어 있다고 해야 할까요? 같은 곡선을 만드는 데도 전체적인 사이즈가 작아지니 형태를 완성도 있게 잡기가 어려워요. 또 아이들 가구는 안전이 중요해서 까다롭고 다양한 인증 절차를 거쳐야 하고, 소재를 고를 때도 신중해야 하거든요.

아이가 태어난 후에 어린이 가구에 대해 좀더 이해하게 됐을 것 같아요.
맞아요. 아이가 태어난 후에는 제 아이의 성장에 맞춰 필요한 가구들을 훨씬 더 디테일하게 생각하며 만들고 있어요. 라운드 시리즈가 대표적인 예죠. 아이가 태어나고 책장이나 모서리가 있는 가구들이 위험해 보여서 모서리 보호대를 검색해 봤는데, 도저히 멀쩡한 가구에 양면테이프와 보호대를 덕지덕지 붙이지는 못하겠더라고요. 그래서 모서리도 코너도 둥글둥글한 라운드 책장을 만들었어요. 이렇게 아이들 가구에 조금만 신경쓰면 편하고 멋진 집으로 꾸밀 수 있어요.

바치 포 칠드런의 가구는 단순한 도형에 약간의 디자인을 더한 듯 감각적이에요. 이런 스타일이 자리를 잡기까지 많이 고민했을 것 같아요.
초창기에는 제가 지향하는 디자인이나 색감이 많이 반영됐어요. 이제는 디자인 팀원들과 함께 작업하기 때문에 최대한 여러 사람의 의견이 반영되도록 노력하고 있고요. 저희 가구는 주문 제작 방식이어서 고객분들이 색상과 크기를 다양하게 선택할 수 있어요. 그래서 기본 옵션에 더 많은 노력을 들여요. 같은 화이트여도 따뜻하고 차분하게, 같은 직사각형이

어도 가로세로 비율이 안정적이고 질리지 않게 하는 거죠. 이런 보이지 않는 부분들이 왠지 모르게 좋아 보이는 결과를 만들거든요. 정말 오랜 테스트와 샘플링 과정을 거치고 있어요. 저희가 중요하게 생각하는 부분은 바치 슬로건인 'Balance with Bacci'와 같이 조화로운 삶을 구성하는 디자인 작업을 꾸준히 보여드리는 거예요. 아이 가구지만 어느 공간에 두어도 잘 어울리고 가족 모두가 사용할 수 있는 가구를 만들기 위해 노력해요. 단, 위트 있고 재미있는 요소도 과하지 않게 넣으려고 해요. 옷장 '빌'을 예로 들자면 전체적 비율과 색상은 차분하지만 U자형 손잡이로 귀여운 포인트를 줬어요. 제가 동화책을 정말 좋아해서 국내외 동화책을 수집하고 아이와 함께 책을 읽으며 떠오르는 재미있는 것들을 가구에 적용하기도 해요. 여행하며 스치는 자연 풍경에서 영감을 받기도 하고요. '리틀 풋 테이블'은 아이와 제주 여행을 하면서 만난 들판 위의 소를 보고 만들었어요.

만들면서 가장 우여곡절이 많았던 가구를 꼽는다면요?
모두 우여곡절이 많았지만 제일 수정을 많이 거친 제품은 침대예요. 침대는 아이들 제품이지만 성인 사이즈로 제작해요. 아이들이 잘 때 생각보다 많은 공간이 필요하고, 엄마나 아빠가 함께 잠들 수 있는 사이즈여야 한다고 생각했어요. 아이들은 빨리 자라거든요. 신생아 때부터 혼자 무리 없이 잠드는 나이가 될 때까지 쭉 사용할 수 있는 가드 침대이자 단독 침대로도 손색 없이 만들고 싶었어요. 구조적, 디자인적으로 탄탄하게 만들기 위해 많은 시행착오를 겪었죠. 지희 침대는 대부분 목조 구조물에 스펀지와 폼 등으로 형태를 만들고 원단을 씌워 완성하는 업홀스터리 제작 방식이어서 원단을 섬세하게 다뤄야 하고 마감 스킬이 아주 중요해요. 30년 이상 작업해 오신 분들과 함께 일하고 있는데, 처음엔 해오던 방식에서 벗어나기를 꺼리셔서 애를 먹었어요. 무엇보다 아이들이 많은 시간을 함께하는 가구이기 때문에 내장재와 피스 하나까지 안전에 신경 쓰고 있어요. 이제는 몇 가지 모델을 제외하고는 본드 같은 접착제를 일절 사용하지 않아요.

올해 초 BFD를 론칭하셨죠. 공장이었던 공간에 쇼룸을 오픈한 걸 봤는데 가구의 무드가 바치 포 칠드런과는 사뭇 다르더라고요. 새로운 가구를 만들고 싶은 갈증이 있었나요?
아이들 가구로 시작했지만 저희 디자인은 항상 전체적인 공간, 집에서부터 출발해요. BFD는 약 2년 정도 준비 기간을 거쳐 선보이게 되었는데요. 고정적인 오프라인 쇼룸 없이 유랑하는 형식의 '노마딕 쇼룸'을 표방하고 있어요. 본연의 개성이 뚜렷한 공간을 찾아다니며 가구와 제품을 각 공간 속에 녹여내려고 해요. 첫 번째 쇼룸이던 성수동 인쇄 공장에서의 모습은 지금 '쉬어가다'를 주제로 하고 있는 서촌의 팩토리2의 모습과는 전혀 달라요. 같은 가구도 공간의 크기, 위치, 동네, 계절, 결에 따라 새롭게 바라볼 수 있어요. 이게 바로 가구와 공간의 시너지인 것 같아요. 노마딕 쇼룸을 통해 이런 가구의 재미를 고객분들과 공유하고 싶었어요.

공간을 떼어놓고 보면 BFD의 가구와 제품에는 디자이너의 개성도 많이 드러나는 것 같아요. 하나의 작품 같기도 해서 일반 가정의 가구들과 쉽게 어우러지기 힘들 것 같다는 생각도 들고요. 디자인이 나오기까지 어떤 고민을 거쳤나요?
BFD는 가구 디자이너의 작품과 쉽게 유통되는 가구 브랜드의 중간 지점으로 포지셔닝 하고 싶었어요. 바치 포 칠드런의 경우 원하는 색상, 재질, 크기 등을 조절할 수 있어 수많은 경우의 수가 나오지만 BFD는 저희가 제안하는 사이즈, 색상, 형태의 가구를 보여드리고자 했죠. 일반 가정에 BFD의

가구가 배치된다면 아마 또 다른 모습과 쓰임새가 생길 거예요. 오히려 어느 공간에나 잘 어우러질 수 있지 않을까요? 그런 새로운 쓰임이 저희가 의도하는 부분이자 재미있는 점인 것 같아요. 앞으로는 베이직한 가구들이 놓인 가정집 같은 공간에서도 노마딕 쇼룸을 운영해 보고 싶어요. 빈티지 가구에도 관심이 많아서 재미있는 이야기와 역사가 있는 가구들과 함께하는 공간도 기획해 보고 싶고요.

보여주고 싶은 게 무궁무진하네요. 대표님이 생각하는 가구의 역할은 무엇인가요?
어려운 질문이네요(웃음). 가구는 개인의 취향을 표현하는 방법 같아요. 집이라는 가장 사적인 공간에 들이는 물건이잖아요. 취향은 시간이 지나면서 계속 변하는, 때마다 곁에 두고 싶은 오브제에서 짙게 배어나온다고 생각해요. 시간이 지나면서 모아 온 가구들을 보면 쌓여가는 본인의 취향을 볼 수 있죠. 공간에 깃드는 역사라고 할까요.

어린 시절 어떤 집과 가구들 사이에서 자랐나요?
어린 시절 살던 집은 오래된 아파트였는데 아주 큰 은행나무가 많았어요. 평소에 인테리어에 관심이 많으시던 어머니께서 작은 베란다를 저와 동생의 놀이 공간으로 꾸며주셨어요. 동생과 베란다에 놓인 소파에 앉아 큰 나무에 집을 짓고 사는 새들, 창밖으로 지나가는 국철, 하늘, 돌아다니는 사람들을 구경했어요. 바깥 풍경을 많이 본 것 같아요. 아직도 어린 시절 집을 생각하면 그때의 계절과 냄새, 소리가 떠올라요. 집안은 어머니의 영향으로 화이트 톤의 모던한 인테리어와 가구들로 채워져 있었어요. 생각해 보면 그때 화이트 인테리어를 망가뜨리지 않기 위해 자연스럽게 정리하는 방법을 배운 것 같아요.

지금 살고 있는 집의 풍경도 궁금해요.
저와 남편, 그리고 만 세 살이 되어 가는 딸 아인이가 살고 있는 집에는 큼직한 가구들이 전부예요. 꾸미는 걸 별로 안 좋아해서 그런가 봐요. 빈 벽을 최대한 유지하고 싶은데 아인이의 그림 그리기 사랑으로 방마다 그림들이 붙어 있어요(웃음). 소파와 사이드 테이블, 의자 같은 제품들은 빈티지 가구로 들여 놓았어요. 결혼하면서 남편이 오랫동안 모아 온 LP 수납장을 만들었는데 저희 집에서 가장 큰 면적을 차지해요. 아이 방엔 바치 포 칠드런 제품을 사용 중이에요. 신제품이 나오기 전 샘플들을 아인이가 한 번씩 사용해 봐요. 팔지 못하거나 하자가 있는 제품들을 쓰기도 하고요.

살림에 대한 취향도 집을 꾸미는 중요한 요소일 텐데요. 평소 살림에 애착이 있는 편인가요?
솔직히 말하자면 일과 육아를 병행하면서 예전만큼 살림에 신경을 쓰지 못하는 것 같아요. 지저분한 걸 못 보는 성격이라 최소한의 살림살이를 최대한 정리하면서 살고 있어요. 물건을 살 땐 조금 가격이 나가더라도 오랫동안 쓸 수 있는 걸 선택하는 편이라 7년 전 결혼할 때 살림과 크게 달라진 건 없는 것 같아요.

아이가 태어나기 전과 후 집에는 어떤 변화가 있었나요?
먼저 집에 아이 용품들이 많이 늘어났죠. 뭐든 보이지 않게 정리하기를 좋아했는데 아이가 태어나고 나서는 시기별로 사용하는 제품이나 장난감이 바뀌니까 어느정도 아이가 쉽게 꺼내고 넣을 수 있도록 배치하고 있어요. 저희 부부는 연애 기간도 길었고 아이 없이 지낸 신혼도 조금 있었기 때문에 둘만 있는 공간이 익숙했어요. 임신에 대한 고민도 많았죠. 각자 일을 좀더 하고 싶었고 혼자만의 시간이 없어지는 것에 대한 두려움도 있었어요. 그런데 아이이가 태어난 후 이런 걱정들은 완전히 사라졌어요. 아이이가 자라는 걸 보면서 정말 가족이 되었다는 생각에 매일 감사하며 살아요.

가구의 배치나 모양이 가족의 라이프 스타일을 보여주기도 하잖아요.
공용 공간인 거실과 주방은 가족 모두가 즐길 수 있도록 물건을 많이 두지 않는 편이에요. 거실에는 아이와 편히 놀기 위해 소파와 의자만 두었고, 그때그때 가지고 놀고 싶은 장난감들은 아이 방에서 가지고 나와요. 안방 역시 침대와 작은 협탁, 그리고 남편과 앉아 이야기할 수 있는 작은 소파가 전부예요. 아이가 그림 그리기를 너무 좋아해서 남편의 서재를 아이 미술 방으로 만들어 줬어요. 책과 인형, 미술 도구를 보관하는 책장과 테이블이 있죠. 아인이는 한쪽 벽면에 본인이 그린 그림을 붙여 놓고 나름 전시회를 열어요. 퇴근하고 들어오면 그날 그린 그림을 벽에 붙이고 작가님처럼 작품 설명을 해주곤 해요(웃음).

아인이가 저녁까지 관람객을 기다리느라 힘들겠어요(웃음). 집에 오래된 추억이 담긴 가구나 소품은 없나요?
제가 어린이 가구를 사랑하게 된 계기인 소중한 가구가 있어요. 할머니께서 저희 엄마 어릴 적에 사주신 후 엄마가 저에게, 제가 아이이에게 물려준 소파예요. 몰딩이 우드 프레임으로 된 클래식한 소파인데 부러진 다리도 고치고, 방석 천갈이

도 하면서 지금까지 사용하고 있어요. 저희 가족의 많은 추억이 담긴 보물 같은 가구예요.

집에 혼자만의 공간도 필요할 것 같아요.
집에서는 최대한 업무를 하지 않으려고 해요. 아이와 함께하는 시간도 부족한데 집이라는 공간에서까지 엄마가 일하는 모습을 보여주고 싶지는 않거든요. 저만의 공간은 오히려 바치 스튜디오인 것 같고, 집에서는 가족과 함께해요.

집이 특별히 소중하게 느껴지는 순간도 있겠죠?
저희 부부가 LP판으로 음악 듣는 걸 좋아하는데, 아이도 음악 듣는 걸 좋아해요. 셋이서 노래를 크게 틀어놓고 춤추는 시간이 정말 소중해요. 아인이 표정을 보면 진심으로 행복해하는 게 보이거든요. 그 모습이 너무 신기하고 재미있어요.

저는 집이 가족의 다른 말이라고 생각해요. '언제든 돌아갈 곳'이라는 집이 주는 안정감이 가족이라는 단어에서도 느껴지거든요. 아이이가 자라서 '집'을 떠올릴 때 어떤 단어를 함께 떠올리기를 바라나요?
익숙한 가구가 그 자리에 계속 있고, 익숙한 계절의 변화를 느낄 수 있는 큰 창이 보이는 집. 좋은 음악, 맛있는 음식, 엄마 아빠와의 즐거운 웃음소리가 가득한 공간을 떠올리길 바라요. 단어로 표현한다면 행복과 웃음이 될까요?

bacci-studio.com

HOW TO SPEND
A CHANGED DAILY LIFE

우리 가족이 집에서 시간을 보내는 방법

야속한 봄이 가고 있다. 앙상한 나뭇가지에 피는 노란 잎도 올해는 창문 너머로만 눈에 담을 뿐이다. 일상의 변화는 아이가 있는 집에 더 크게 다가온다. 하루 종일 아이와 붙어 있는 시간을 엄마들은 저마다의 방식으로 책임지고 있다. 다른 나라 같은 상황에 처해 있는 가족들의 놀이법을 소개한다.

박스 인형 집 만들기

한국 | 지안, 정우네

가족을 소개해 주세요.
언제 어디서나 잘 노는 놀이대장 열한 살 김지안, 아홉 살 김정우를 키우며 아이와 함께 가기 좋은 장소들을 소개하는 '리틀홈'을 운영하는 이나연입니다.

요즘 어떻게 지내고 있어요?
시국이 시국인 만큼 저희부터 바깥나들이를 자제하며 지내고 있어요. 저희 아이들이 워낙 야외 활동을 많이 했던지라 두 달 넘게 이어지고 있는 집콕이 지루할 만도 한데 집에서 할 수 있는 모든 것을 섭렵하며 집돌이 생활에도 꽤 잘 적응하고 있습니다. 필요한 모든 것을 온라인으로 주문하다 보니 매일 문 앞에 택배 상자가 가득하고 잠과 살이 늘었다는 것이 좀 안타깝네요.

집에 오래 머물면서 일상의 변화가 있었나요?
두 아이 모두 초등학생이 된 이후로 정말 오랜만에 제대로 붙어 지내는 것 같아요. 친구, 학교, 학원 같은 외부적 요인이 완전히 차단되니 삶이 단순해지고 우리 가족만의 색과 분위기가 짙어지는 좋은 점도 있습니다. 올해 4학년이 된 딸은 곧 사춘기도 시작될 텐데 원 없이 늦잠을 자고, 온 가족이 같은 책과 영화를 보고, 온갖 자질구레한 일들을 함께 하는 지금을 왠지 그리워하게 될 것 같아요.

이 시간을 잘 보내기 위해 아이들과 함께한 놀이를 소개해 주세요.
아이들이 아주 어릴 때부터 함께 만들기를 하며 놀았어요. 금방 끝날 줄 알았던 집콕이 장기전으로 돌입하던 시점, 넘치는 시간과 에너지를 원 없이 쏟을 만한 만들기 프로젝트가 필요하다 생각했어요. 수두룩하게 쌓인 택배 상자들이 영감을 주었고요. 뒤집어 놓으니 완벽한 지붕처럼 보이는 상자를 발견했거든요! 깨끗하고 단단한 박스들을 골라 이리저리 쌓아보니 딸이 좋아하는 미미 인형이 편하게 생활할 수 있을 만큼 큰 집을 만들 수 있겠더라고요. 우리의 목표는 시간을 많이 보내는 것이었으므로 디테일한 부분까지 구현하려고 아이들과 끊임없이 이야기를 나눴습니다. 꾸밈 재료도 종이, 패브릭, 철사, 솜 등 다양하게 사용해 실제 집 안의 물건들처럼 만들려고 노력했어요. 다락방, 테라스, 해먹, 텃밭까지 늘 아이들과 함께 꿈꾸던 우리 가족의 드림홈을 미리 지어 본 기분이라 아이들도 저도 너무 즐거웠습니다.

재료

표면이 깨끗하고 단단한 상자 여러 개. 칼, 가위, 글루건, 물감, 색종이, 패브릭 등 각종 꾸밈 재료

놀이 방법

1 상자를 이리저리 배치하여 집의 기본 틀을 만든다. 마음에 드는 구조가 갖춰지면 글루건으로 단단히 고정한다.

2 창문과 문을 낼 자리를 정해 칼로 깨끗하게 뚫는다. 집 안으로 빛이 잘 들어야 놀이하기 편하기 때문에 창문은 여러 개 뚫는 것이 좋다. 창문의 형태와 크기를 다양하게 연출하면 멋지다.

3 물감을 칠해 집에 포인트와 색감을 더해 준다. 포장지나 예쁜 패브릭을 벽지처럼 이용해도 좋다. 작은 상자나 일회용 포장재 등을 이용해 가구를 만들어 배치하고 꽃병, 그릇, 커튼 등 소품으로 아기자기함을 더해 완성한다.

TIP

1 평상시 독특한 구조의 포장재를 하나둘 모아 두면 만들기 할 때 요긴하다.

2 박스에 물감을 칠할 때는 물을 거의 섞지 않고 발라야 발색과 내구성이 좋다.

3 박스는 두껍고 무게가 있어 일반적인 테이프와 풀로는 단단하게 고정하기 어렵다. 글루건, 양면테이프, 목공용 본드 등 다양한 접착제를 활용해야 작업이 수월하다.

레고 마을 만들기

독일 | 결이, 설이네

가족을 소개해 주세요.
독일에 넘어온 지 갓 5개월 지난 새내기 이민 가족이에요. 남편과 저, 벌써부터 친구가 제일 좋은 여덟 살 결이, 사고뭉치 네 살 설이까지 저마다 독일 사회에 느릿느릿 적응하고 있었는데요. 갑자기 들이닥친 코로나19 사태로 가족 모두 집에 발이 꽁꽁 묶여 있습니다. 하지만 마음만큼은 그 어느 때보다 자유롭습니다.

독일에서 어떻게 지내고 있어요?
집에 머문 지 6주가 되어가요. 처음엔 놀이터와 공원에 나가 놀 수 없어 너무 답답했는데, 이제는 궁여지책으로 집에서 재밌게 지내는 법들을 터득하고 있어요. 작은 테라스가 저희 가족의 최애 공간인데요. 오후 3~6시 정도에 드는 해가 너무 좋아요. 서머타임까지 시작돼 해가 아주 길어요. 한여름 같은 오후 테라스에 둘러앉아 따스한 햇볕을 마음껏 즐긴답니다. 저 멀리 봄 색깔로 새로 단장한 나무들을 바라보고, 지저귀는 새소리를 듣고 있으면 아이들은 휴가를 온 것 같다고 해요. 너무도 평화로운 정경을 보고 있노라면 코로나19로 인한 위기 상황을 깜박 잊곤 합니다.

집에 오래 머물면서 일상의 변화가 있었나요?
가족 구성원이 모두 집에 머물다 보니 집안일을 함께 하는 시간이 늘었어요. 청소를 하거나 식사 준비를 할 때 아이들도 자기 역할이 생겼죠. 이전에는 특히 남편에게 집안일을 도와 달라고 했는데 지금은 아이들까지 전부 스스로 자기 공간을 정리해요. 빵을 먹고 싶은데 사러 나갈 수가 없어 베이킹을 시작했어요. 한 달 만에 어지간한 빵과 케이크는 다 만들 수 있게 되었어요. 집콕 생활의 가장 큰 변화랄까요(웃음).

이 시간을 잘 보내기 위해 함께 한 놀이를 소개해 주세요.
아무리 재밌는 놀이라도 아이들은 금방 싫증 내더라고요. 그런데 레고 놀이는 다른 것보다 좀더 오랫동안 놀 수 있어요. 무언가 만드는 데 시간이 꽤 걸리잖아요. 아이들이 아직 어려서 설명서대로 만드는 건 쉽지 않아요. "어떤 형태가 되든 상관없어. 그냥 만들어 보고 싶은 걸 만들자."고 했더니 매우 창조적인 작품들이 만들어지더라고요. 결이, 설이의 레고 마을에서는 매일 신비로운 일들이 일어난답니다.

IMAGINE

재료
레고

놀이 방법
설명서는 잠시 접어 두고, 아이들이 원하는 대로 만들 수 있게끔 이야기를 나누고 생각을 이끌어 준다. 처음엔 어려워할 수 있어도 기다려주면 점점 본인들의 생각을 표현한다.

오늘의 놀이
두 아이는 코로나19가 없는 평화로운 마을을 만들었다. 바이러스가 사라지면 가장 먼저 가고 싶은 마카롱 카페, 놀이동산 등을 완성했다.

고소한 당근파운드케이크 굽기
미국 | 성완이네

가족을 소개해 주세요.
미국 라스베이거스에 살고 있어요. 제 이름은 김은지이고, 만 세 살 아들의 한국 이름은 김성완이에요.

미국에서 어떻게 지내고 있어요?
미국은 상점, 식당, 놀이터, 국립공원 같은 곳은 모두 문을 닫고 사회적 거리 두기를 하고 있는 상태예요. 유치원을 가지 못하는 성완이와 오전에는 뒷마당에서 놀거나 동네 산책으로 시간을 보내고, 오후에는 베이킹이나 미술 놀이 등 집에서 할 수 있는 놀이로 시간을 채워 나가고 있어요.

집에 오래 머물면서 일상의 변화가 있었나요?
남편이 재택근무를 하다 보니 식탁에 모여 가족이 다 같이 식사하는 시간이 늘어났어요. 남편의 육아 참여율도 높아져서 아이와 두런두런 함께 나누는 시간이 길어졌죠. 정서적으로 더 가까워진 것 같아요.

이 시간을 잘 보내기 위해 함께 한 놀이를 소개해 주세요.
제가 워낙 베이킹을 좋아하다 보니 성완이도 자연스레 관심을 가지는 것 같아요. 거품이 부풀어 오르는 모습도, 오븐에 반죽을 구우면 향긋한 빵이 구워져 나오는 것도 신기해해요. 성완이가 즐거워하는 모습을 보고만 있어도 저도 같이 행복해져요. 최근에는 당근파운드케이크를 만들었어요. 성완이 스스로 놀이의 주체가 되다 보니 놀이 과정을 통해 생활 습관도 자연스레 좋은 방향으로 바뀌었고, 대화하면서 아이의 숨겨진 고민이나 진짜 마음도 알게 되었어요. 친구들을 만나지 못해 심심해하던 성완이에게 작은 결실들이 위안을 주는 것 같아요.

재료
카놀라유 혹은 포도씨유 100g, 달걀 2개, 흑설탕 90g, 생크림 30g, 우유 30g, 쌀가루(박력분 가능) 130g, 베이킹파우더 4g, 소금 한 꼬집, 시나몬 분말 3g, 채 썬 당근 80~90g, 다진 호두 30~40g

놀이 방법
1 오븐을 175℃로 예열한다.
2 볼에 달걀, 오일을 넣고 거품기로 충분히 섞어 유화시킨다.
3 설탕, 우유, 생크림을 차례대로 넣고 잘 섞는다.
4 체에 쳐둔 쌀가루, 베이킹파우더, 소금, 시나몬 분말을 넣고 스패츌러로 섞어준다.
5 채 썬 당근과 다진 호두를 넣고 윤기가 나도록 꼼꼼히 섞는다.
6 틀에 반죽을 담고 가볍게 바닥을 쳐서 평평하게 해준다.
7 예열한 오븐에 넣고 40분간 굽는다.
8 다 구워지면 한 김 식힌 후 하루 냉장고에 넣어 둔다.

스티븐 호킹과 태양계

영국 | 엘라네

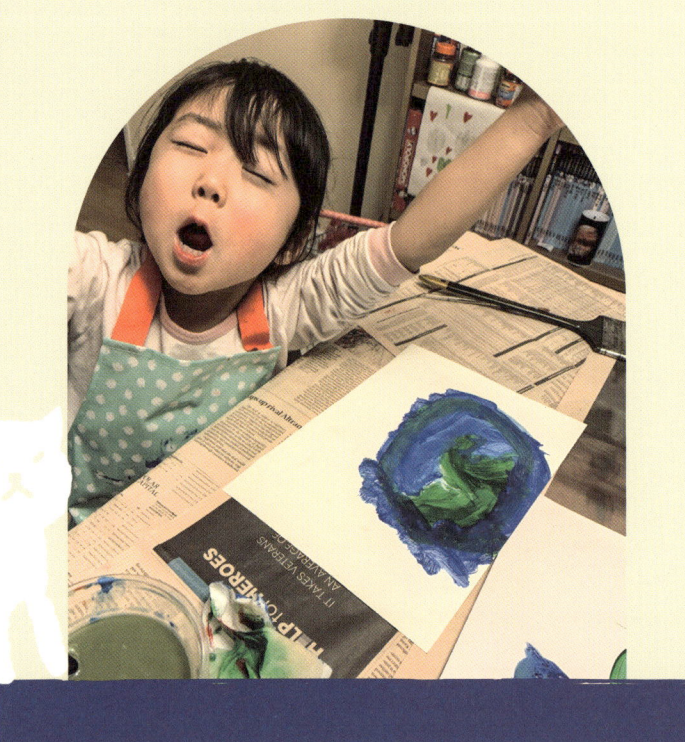

가족을 소개해 주세요.

저희 가족은 신랑 직장 때문에 2017년 10월 말, 엘라가 네 살일 때 런던으로 이사 왔어요. 딸 엘라는 일곱 살, 한국 이름은 이지유이고 지금 런던에서 Year1에 다니고 있어요.

영국에서 어떻게 지내고 있어요?

3월 23일부터 런던은 락다운에 들어갔어요. 마트, 병원, 약국을 제외하고는 모두 문을 닫았죠. 온 가족이 유튜브로 운동을 하고 사람 많은 시간을 피해 가끔 집 앞 공원에서 걷기, 뛰기, 공차기를 해요. 신랑은 재택근무 중이고, 엘라는 온라인 수업 2주, 4월 단기 방학 2주를 끝으로 이제 다시 온라인 수업을 준비해요. 4월 단기 방학 때는 숙제의 억압에서 벗어나 엘라가 하고 싶은 책 많이 읽기, 엄마와 그림 그리며 만들기 놀이를 주로 했어요. 코로나 이전에는 엘라가 학교에서 매일 책을 한 권씩 빌려 와 읽거나 서점과 도서관을 주로 이용했는데, 이제는 그런 활동도 못 하니 집에 있는 책도 한두 번 더 보게 되고, 새로운 책도 더 주문하게 되네요.

집에 오래 머물면서 일상의 변화가 있었나요?

런던으로 이사 오고 난 후 1년에 서른 번은 비행기를 타고 여행을 다녔어요. 다양한 경험을 통해 성장하는 엘라를 보니 그것만큼 더 좋은 것도 없겠다 싶었거든요. 여행을 가지 않더라도 런던 뮤지엄이나 미술관에서 아이와 함께 할 수 있는 액티비티에 참여하느라 주말이나 방학 때 집에서 보낸 시간이 손에 꼽을 정도였어요. 지금은 일상이 여행에서 강제 집콕으로 바뀌었네요.

이 시간을 잘 보내기 위해 함께 한 놀이를 소개해 주세요.

엘라의 꿈은 유명한 사람이 되는 거예요. 위인전에 부쩍 관심을 많이 보여 BBC 위인 스토리를 함께 보기 시작했어요. 하루는 혼자 BBC 스토리를 읽고 보면서 저에게 안네 프랑크 이야기를 신나게 해주더라고요. 일기장 제목을 'A Lockdown diary from Jiyoo', 속지에는 'A place that you can't go out' 이라고 적어 놓고요. 또 하루는 사각 뿔테 안경에 장난감용 미니 골프채를 목발처럼 짚고서는 스티븐 호킹 흉내를 내기도 했어요. 상상 이상으로 창의력 넘치는 엘라를 보고 아

재료
블랙 폼보드, 물감, 나무 스틱, 칫솔, 스카치테이프 혹은 글루건, 붓, 색연필, 노끈(색연필을 묶을 수 있는 것이라면 대체 가능)

놀이 방법
1 물을 가득 머금은 붓으로 종이에 물을 적신 후 여러 가지 물감으로 색을 번지게 한다. 또는 물감의 농도를 진하게 해서 채색한 후 굵은 소금이나 물 혹은 물감을 추가로 뿌린다.
2 블랙 폼보드로 높이 5cm 정도의 우주 상자를 만든다. 칫솔에 흰색 물감을 묻혀 뿌려주면 쉽게 우주 느낌을 낼 수 있다.
3 1의 종이가 다 말랐다면 각 행성의 크기와 모양을 생각하며 오린다. 토성은 고리를 추가로 붙인다.
4 나무 스틱에 각 행성과 행성의 명칭을 붙인다. 스카치테이프나 글루건을 이용한다.
5 만들어둔 블랙 폼보드에 흰색 색연필로 동그란 곡선을 그린다. 모서리에 한쪽 손을 고정하고 노끈을 잡고 그리면 컴퍼스 효과를 대신할 수 있다.
6 선 위에 행성이 위치할 곳에 나무 스틱을 꽂는다.
7 유튜브 KidsTV123의 'The Solar System Song (with lyrics)' 영상을 틀고 노래를 따라 부르거나 이야기를 만든다.

이가 좋아하는 방향으로 자극을 주는 게 중요하다는 걸 느꼈어요. 요즘에는 엘라가 평소에 좋아하는 놀이에 위인전 내용을 접목하고 있어요. 작년에 엘라가 학교에서 태양계를 배워 왔는데, 시간이 흘러 《스티븐 호킹》을 읽으면서 놀이를 재정비하고 블랙홀을 추가했어요. 폼보드로 만든 태양계를 보며 유튜브에서 'The Solar System Song'을 틀고 같이 노래를 부르거나 스토리텔링을 하는 놀이예요.

공으로 페트병 맞추기

인도네시아 | 태온, 지유네

가족을 소개해 주세요.
저희 가족은 2018년 4월부터 인도네시아의 수도 자카르타에 거주하고 있어요. 저는 아홉 살 아들 태온이와 일곱 살 딸 지유의 엄마로, 전업주부입니다. 이곳에 거주한 지 3년 차에 접어들면서 충분히 타지의 삶에 적응했다고 느꼈는데 최근 벌어진 특수한 상황으로 다시 고비가 찾아왔어요. 하지만 가족끼리 똘똘 뭉쳐 잘 버티고 있어요.

인도네시아에서 어떻게 지내고 있어요?
인도네시아 정부는 코로나19 확산을 막기 위해 PSBB(대규모 사회적 제약)를 시행하고 있어요. 학교는 휴교에 들어갔고 많은 사람들이 재택근무 중이에요. 정부에서 병원, 마트, 약국에 갈 때만 이동하고 집에서 머무를 것을 당부했죠. 많은 사람들이 사회적 거리 두기를 잘 지키고 있어요. 처음에는 마스크와 손 소독제를 구하기 어려웠는데 지금은 마트에 가면 구할 수 있고 식료품을 포함한 생활에 필요한 물건들도 비교적 쉽게 구할 수 있어서 불안한 상황은 아니에요.

집에 오래 머물면서 일상의 변화가 있었나요?
아이들은 화상으로 학교와 유치원 수업을 들어요. 수업과 과제를 모두 끝낸 오후에는 아파트 단지 내 정원에서 킥보드를 타거나 게임, 수영을 하며 어린이들의 넘치는 에너지를 활활 태워주고 있어요. 하루의 대부분을 제한된 장소에서 보내고 있어 매우 답답하지만 언젠가 좋아질 거라는 희망의 끈을 놓지 않고 있어요. 코로나19 이전과 일상은 많이 달라졌지만, 가족끼리 많은 시간을 함께하다 보니 가족애가 더욱 끈끈해졌다는 점은 좋아요. 아이를 새로운 시선으로 보게 되는 순간도 있고, 대화를 하면서 아이들의 마음을 더 잘 들여다볼 수 있게 되었죠. 아이들도 전보다 더 많이 자신의 생각을 표현해요.

이 시간을 잘 보내기 위해 함께 한 놀이를 소개해 주세요.
매일 1시간에서 2시간 정도 아파트 안에서 사회적 거리 두기를 지키며 야외 활동을 하고 있어요. 단지 안 시설의 대부분이 문을 닫았지만 야외 수영장은 열려 있어요. 수영장 안에 물속으로 가라앉는 공을 던져 찾아오는 '해녀 놀이'는 일주일에 네다섯 번은 하고 있어요. 무더운 동남아 날씨에 딱이거

준비물
축구공, 페트병

놀이 방법
페트병을 풀밭에 세우고 가위바위보를 해 순서를 정한다. 이긴 사람부터 공을 차고, 페트병을 많이 쓰러뜨리는 사람이 이기는 놀이다. 이 놀이법이 지루해지면 페트병 세 개를 세우고 페트병과 페트병 사이에 공을 차 서로 주고받는 놀이로 변형한다.

ACTIVE

든요. 또 아파트 단지의 '따만'이라고 불리는 정원에서 오후에 종종 보물찾기와 공놀이를 해요. 보물찾기는 바깥 놀이의 클래식이고, 공놀이는 매일 하기에 부담 없어서 좋아요. 아들은 축구를 해서 공을 무척 잘 가지고 노는데 막내는 공을 가지고 놀 때 종종 지루해 해요. 매번 오빠에게 지고 잘 못한다고 생각해서 그런 것 같아요. 그래서 아들에게 동생보다 더 멀리 가서 공을 차라고 하거나 놀이 난이도를 조금 더 어렵게 만들기도 해요.

THE KINDEST FRIENDS IN THE WORLD

아이와 반려동물이 함께 자라는 집

우리 집에는 키가 아주 작은 친구가 산다. 그는 따뜻하고 다정하며, 가족들에게 눈을 맞추려고 늘 고개를 들고 꼬리로 말을 한다. 품에 안고 보드라운 털에 얼굴을 비비면 1초도 안 돼 몸과 마음이 녹는다. 아마 내가 아주 어릴 적 만났더라도 우리는 좋은 친구가 되었을 것이다. 반려동물과 함께 어린 시절을 보낸다는 건 언제까지나 함께해 줄 친구이자 가족을 얻는 일이다.

나의 단짝 고양이

유하와 아리네 가족

집에 누가 살고 있나요?
저희 집에는 아빠, 엄마, 다섯 살 유하, 아리가 살고 있어요. 아리는 2005년생 수컷 고양이에요. 풀네임은 아리엘이고, 빛나는 은빛 털을 가진 브리티시 숏헤어예요.

아리는 어떤 친구예요?
저희 집 비주얼 담당이에요. 매체에 몇 번 소개된 적도 있어요. 올해 열여섯 살이 되었는데 나이를 가늠할 수 없는 동안 외모가 특히 매력적이에요. 잠이 많고 느긋하고 겁이 많지만 천상 선비 품성에 사람을 좋아해요.

은빛 털이 무척 신비로워요. 열여섯 살이니 유하가 태어나기 한참 전부터 아리와 함께하셨겠어요.
아리가 처음 저에게 온 날은 2013년 현충일이었어요. 첫 번째 주인이 지인에게 보냈다가 다시 반려되어 저에게 오게 됐어요. 제가 세 번째 주인인 셈이죠. 그래서 진짜 생일인 4월 11일보다 현충일을 더 의미 있게 생각해요. 결혼하면서 아리도 함께 가족이 되었고, 그 후 아이가 태어나 지금껏 함께 살고 있어요. 유하가 태어날 때부터 성장해 온 과정을 쭉 지켜본 한참 오빠예요.

귀여운 남매예요. 둘 관계는 어때요?
아리는 원래 애교가 많은 무릎냥이는 아니었는데, 저희 부부 사이에서 사랑을 독차지하다 유하가 태어난 뒤 질투를 하더라고요. 유하 방문 앞에서 사랑을 갈구하는 것처럼 많이 울었어요. 어쩔 수 없는 과정이었던 것 같아요. 동생이 태어났을 때 첫째가 느끼는 상실감 같은 게 아니었을까요?

계속 그렇게 지낼까 봐 많이 걱정했을 것 같아요.
다행히 유하가 자라면서 상황이 완전히 바뀌었어요. 특히 요즘 코로나19 때문에 늘 집에서 생활하다 보니 둘 사이가 더 각별해졌어요(웃음). 유하가 매일 아리에게 살을 비비고 안고 다녀요. 사실 나이 많은 고양이에게는 아주 귀찮은 일이죠. 아리가 힘들어하는 것 같아 말리려고 하면, 또 아리가 유하 곁을 맴돌아요. 귀찮은 듯 도도하게 굴지만 항상 유하를 찾아요. 티격태격하지만 없으면 안 되는 단짝 친구이자 남매예요.

반려동물과 아이가 함께 살게 되면서 가족이 포기하게 된 것도 있을 것 같아요.
포기하게 된 것 중 하나가 장기 여행이에요. 고양이는 낯선 곳을 많이 두려워하기 때문에 아리를 데리고 여행하긴 힘들어요. 또, 다들 아시겠지만 고양이는 털이 무척 많이 빠져요. 청소를 해도 뒤돌아서면 바닥에 하얗게 떨어져 날리고, 패브릭에는 특히나 머물던 흔적을 남겨요. 하지만 아리의 존재는 이 모든 걸 감수할 수 있을 만큼 크고 소중해요. 형제가 없는 유하에게는 부모 이외에 친구가 되어 주는 유일한 존재예요. 아리가 없는 우리 가족은 아직 생각하고 싶지 않아요.

저희 집 강아지 감자는 사람을 너무 좋아해서 공간이 어디가 됐든 사람 옆에 엉덩이를 대고 앉아 있어요. 아리가 집에서 가장 좋아하는 공간은 어디인가요?
아리는 햇살 드는 곳과 초록색 패브릭 의자, 그리고 제 작업실 의자를 특히 좋아해요. 그러면 어김없이 유하가 그곳에 함께 앉아요. 잠이 많은 아리는 의자에 누워 낮잠을 즐겨요. 잠을 빼고는 아리를 말할 수 없어요. 고양이는 야행성이라고 들었는데 아리는 밤에도 쿨쿨 잘 잔답니다.

유하는 아리와 함께하는 시간 중 언제를 가장 좋아하나요?
보들보들한 아리를 온몸으로 안으면 곰 인형을 안을 때보다 더 행복하다고 하네요.

예상치 못한 사건도 많을 것 같아요. 아찔하거나 행복하거나, 기억에 남는 에피소드가 있다면 얘기해 주세요.
현관문을 여는 사이 아리가 집을 나간 적이 있어요. 저는 그걸 모르고 문을 닫았는데, 아리가 없어진 걸 눈치챈 건 유하였어요. 단짝이 없어졌으니 찾아 헤맬 수밖에요. 너무 놀라 밖으로 나가 찾아다니다가 희미하게 아리 목소리를 듣고 다른 집 현관 앞에서 울고 있는 걸 발견했어요. 정말 심장이 덜컥 했던 기억이에요. 요즘은 현관문을 닫을 때 꼭 아리를 확인하는 새로운 버릇이 생겼어요.

유하와 아리가 더 행복하게 지낼 수 있는 집을 상상해 본다면요?
지금 사는 집은 3층으로 된 구조인데 계단이 많아요. 처음 이사를 와서 저는 계단이 너무 힘들었는데 유하와 아리는 무척 좋아했어요. 쉴 새 없이 계단을 오르내렸죠. 사람이 행복한 집이라면 그 안에서 고양이도 행복할 거라고 생각해요. 유하가 자라면 지금보다 아리를 배려할 수 있을 테니 점점 더 좋아질 거라 믿어요. 아이를 키우면서 아리와 참 닮았다는 생각을 많이 하게 돼요. 박스에 들어가는 걸 좋아하고, 계단 오르내리기, 모래 파기, 구석에 숨거나 자기만의 공간 안에서 노는 걸 좋아하고… 공통점이 많거든요. 노묘인 아리가 건강하게 오래오래 살아주길 바랄 뿐이에요.

둘을 함께 키우다 보면 어려운 점도 있을 텐데요.
아이를 낳았을 때 양가 부모님이 고양이를 계속 키우는 걸 반대하셨어요. 털이 많이 날려 비위생적이고 호흡기에 좋지 않다는 이유에서였죠. 그때 잠자리는 분리한다는 규칙을 정했어요. 아리와 한 침대에서 자지 않으니 침구가 위생적으로 관리됐고, 수면의 질도 좋아졌어요. 결과적으로 너무나 잘한 선택인 것 같아요. 아이에게 제가 채워줄 수 없는 정서적인 부분을 아리가 많이 채워줘요. 유하는 아리의 밥을 챙겨주고 빗질을 해주며 책임감을 배우고 약한 존재를 보호해 줘야 한다는 사명감도 느껴요. 물론 털도 날리고 모래도 날리고 냄새도 나지만 그 사소한 불편함을 잘 넘기면 훨씬 많은 선물을 받게 돼요. 존재만으로도 감사한 아이예요.

아리가 있는 집이 얼마나 따뜻했는지, 우리보다 먼저 별이 될 아리에게 하고 싶은 말을 전해 주실래요?
아리야. 너는 외출하고 들어오면 제일 먼저 나를 반겨주고 살을 비벼줬어. 내가 소파나 책상에 앉으면 손길이 닿는 곳에 엉덩이를 대고 앉았지. 너는 날 외롭지 않게 해줬어. 유하에게 형제만큼 좋은 벗이 되어 주고 온몸으로 보드라운 촉감과 따스함을 전해주던 너를 잊지 않을게. 큰 눈을 깜빡이며 이야기하던 너의 눈인사가 자꾸만 떠올라 슬프지만 그곳에서 더 행복하기를 바라. 나의 가족이 되어 주어 고마웠어.

네 배의 행복

지안, 서인이와 와사비, 간장이네 가족

집에 누가 살고 있나요?
저희 부부와 네 살 지안, 두 살 서인 형제와 강아지 와사비와 간장이가 함께 살고 있어요. 와사비는 레이크랜드 테리어라는 종으로 여섯 살 여자아이예요. 종 특성답게 까칠하지만 저희 가족에게는 애교쟁이고, 아주 똑똑해요. 다섯 살 믹스견 간장이는 순둥이에 애교쟁이, 엄살쟁이 남자아이인데, 이렇게 순해도 되나 싶을 만큼 착하고 상냥하답니다.

와사비와 간장이가 가족이 된 과정을 말씀해 주세요.
와사비는 꼭 키워보고 싶던 종이라 기다림 끝에 저희 가족이 되었어요. 간장이는 유기견 보호소를 통해 데리고 왔어요. 3개월 추정 강아지 두 마리가 박스에 담겨 버려졌다고, 입양 가족을 찾는다는 인스타그램 피드를 우연히 본 순간 '얘는 우리 가족이 되겠구나.' 하고 느낌이 왔어요. 사실 사비가 있어 둘이 잘 지낼지, 제가 두 마리를 감당할 수 있을지 고민 많이 했는데 간장이가 계속 눈에 아른거려 입양을 신청했어요. 유기견 입양이 생각보다 아주 어렵고 절차가 까다로워요. 가족 구성원과 강아지가 잘 지낼 수 있는 집안 환경인지 확인도 필요하고, 입양비도 지불해야 해요. 입양 신청을 하신 분이 몇 분 있었는데 보호소의 판단 아래 저희 가족에게 간장이를 보내주셨어요.

간장이가 와사비와 잘 지내던가요?
간장이가 저희 집에 온 첫날이 아직도 생생해요. 집에 들어오자마자 사비에게 장난을 치며 마치 원래 저희 가족인 것처럼 구는데, 그 천연덕스러운 모습을 보곤 바로 사랑에 빠졌어요. 사비가 종 특성상 다른 강아지들에게 사나운 편이라 걱정 많이 했는데, 간장이와 첫 만남부터 지금까지 한 번도 싸운 적이 없어요. 사비를 아는 제 주위 사람들이 둘은 분명 인연이라며 신기해할 정도예요.

지안이와 서인이가 태어난 후에는 어땠는지 궁금해요.
모든 과정이 자연스럽게 물 흐르듯 지나간 것 같아요. 출산 후 아기와 집에 갈 때 강아지들 반응이 궁금했는데 집에 온 아기를 보고 냄새 한 번 맡고 끝이더라고요. 알아가고 적응해 가는 기간 없이 처음부터 잘 돌봐주었어요. 저는 사비, 간장이와 늘 육아를 함께하고 있어요. 사비는 제가 잠시 집안일을 할 때 아이가 혼자 놀다가 울면 짖어서 알려주고, 제가 아이를 안아 올리면 짖다가 바로 멈춰요. 간장이는 아이들과 뛰어다니며 같이 놀기도 하고 아이들이 몸에 스티커 같은 걸 붙여도 다 놀 때까지 가만히 기다려줘요. 귀찮을 만도 한데 잘 참아주죠. 다만 정말 싫을 땐 소리를 내서 의사표현은 확실히 하는 편이에요. 산책할 때도 아이들과의 거리를 일정하게 유지하고, 아이가 뒤처지면 멈춰서 기다려줘요. 자주 뒤돌아보면서 아이들이 잘 오는지 확인하고요.

아이들은 강아지들을 어떻게 대하나요?
친구처럼 아주 잘 지내요. 저한테 혼나고 울 때는 사비나 간장이한테 기대서 펑펑 울기도 해요. 마치 '엄마가 나 혼냈어!' 하고 이르는 것처럼. 그런데 간식 먹을 때만큼은 라이벌이 돼요. 며칠 전엔 지안이가 강아지들한테 사과를 빼앗길까 봐 높은 곳에 숨겨 놓고 먹더라고요(웃음). 저희 강아지들은 이불을 가장 좋아해요. 항상 이불 위에만 있으려고 하죠. 아기 수유 쿠션과 수유 의자도 좋아해서 버리지 않고 가지고 있어요. 출산 전에는 제 허벅지 위에 있는 걸 제일 좋아했는데, 아이들이 태어나면서 자리를 빼앗겨 버려서 좀 미안해요.

그 미안한 마음은 어떻게 표현하고 있나요?
사비와 간장이를 위해 아침 산책은 빠짐없이 나가요. 그리고 저희는 아이들이랑 분리수면을 하고 있어요. 아이들은 아가 방, 강아지들은 저희 부부와 같이 자요. 침대에 누워서 계속 쓰다듬어 주고 사랑한다고, 오늘 하루도 미안했다고 매일 얘기해 주죠. 강아지들이 제일 좋아하는 시간이기도 해요. 하루 중 그 시간만 기다리는 것 같아요. 계속 품에 안겨서 손을 앞발로 탁 치며 만져 달라고 해요. 사비는 아빠 다리 사이, 간장이는 엄마 다리 옆이 지정 잠자리예요.

강아지를 키우는 집에서 출산을 준비할 때 고려할 점이 있을까요?
출산일이 다가오면 신생아를 맞이하기 위해 집을 깨끗하게 소독하고 청소하시는데 너무 과하게 청소를 하다 보면 집 안에 강아지들 냄새가 거의 사라져요. 그러면 안 그러던 강아지도 당황해서 마킹을 하게 되니, 강아지의 체취가 남아 있는 담요나 인형, 장난감과 공간을 조금만 남겨 주세요. 아기가 어릴 땐 그저 누워 있기만 해서 괜찮은데 기기 시작할 때부터 강아지들과의 분리 시간이 필요해요. 아기 행동 반경이 넓어지면 그만큼 강아지를 쫓아다니기 때문에 강아지들이 편히 쉴 수 있는 공간이 필요해요. 안전문을 꼭 설치해 주시고 강아지와 아기를 분리해 주세요. 아무리 순한 강아지도 털이 뽑히고 꼬집히면 순간적으로 물거나 공격할 수 있으니, 아기가 기기 시작할 무렵부터 강아지에게 해서는 안 되는 행동들을 인식하기 전까지는 각자의 공간에서 지낼 수 있게 해주세요.

사비와 간장이, 지안이와 서인이가 더 행복하게 살 수 있는 집을 상상해 본다면 어떤 모습일까요?
넓은 정원이 딸린 집이요. 아이들 넷이 마음껏 뛰놀 수 있는 집이 제 로망이에요. 강아지들이 더 나이 들기 전에 그런 집으로 이사 가고 싶어요.

훗날 별이 될 사비와 간장이에게 덕분에 집이 얼마나 따뜻했는지 하고 싶은 말을 전해 주세요.
사비야, 간장아. 우리 가족 곁에 와줘서 고맙고, 너희를 만날 수 있었음에 감사해. 매 순간 사랑을 표현하면서 안아 주고 쓰다듬어 주었는데 아이들이 태어난 뒤엔 그 시간이 많이 준 것 같아 엄마는 항상 미안했단다. 그런 엄마 마음을 이해한다는 듯이 안아 달라고, 곁에 있어 달라고 칭얼대지 않고 묵묵히 기다려줘서 고마워. 아이들을 재우고 이불 위에서 뒹굴뒹굴거리면서 너희 발바닥 냄새를 킁킁대던 그 순간들이 엄마에게 얼마나 큰 힘이 되었는지 너희는 알까? 너희가 말을 할 수 있다면 우리 가족이 너희를 얼마나 사랑하는지 알고 있냐고 물어보고 싶어. 아마 대답은 우리가 하늘에서 다시 만나는 날 들을 수 있겠지? 사랑하는 아기들아, 먼저 하늘나라에 가서 우리를 기다리고 있어줘. 엄마가 그곳에 가게 되면 우리는 이제 다시 헤어질 일이 없을 거야. 조금 오래 걸릴 수도 있겠지만 꼭 엄마 아빠를 기다려 줄래? 우리가 다시 만나면 엄마가 듣고 싶은 대답도 꼭 해줄 거라 믿고 있을게.

조석경 | 이공사홈 대표

ARE YOU TAKING GOOD CARE OF YOUR HOME?

집을 잘 보살피고 있나요?

'예쁜 집'은 어디에나 있다. 유행하는 가구나 값비싼 소품 몇 개만으로 쉽게 그 대열에 합류할 수 있지만 '취향을 담은 예쁜 집'이라면 이야기가 다르다. 가족의 라이프 스타일과 아이의 존재와 개인의 취향 사이에서 균형을 맞추기란 더 어렵다. 《나는 버리지 않기로 했다》의 저자인 조석경 씨는 리모델링을 통해 가족에게 꼭 맞는 집을 설계해 본인만의 정리정돈 습관으로 그 집을 정갈하게 보살피는 이다. 그녀의 노하우를 듣고 나면 지금 당장 집 구석구석을 들여다보고 싶어질지 모른다.

에디터 이다은 사진 조석경

1
공간을 맞추는 일

내가 꿈꾸던 집

"단순하면서도 서정적인 집을 꿈꿨어요. 저에게 단순하다는 의미는 집 안의 모든 물건이 제자리에 가 있고 그것을 관리하는 일이 번거롭지 않다는 뜻이에요. 그러기 위해서 가지고 있는 물건들을 여유롭게 수납할 공간이 필요했고 우리 가족의 라이프 스타일에 맞춰 그 위치를 정하는 일이 중요했어요. 공간을 차갑게 만드는 세탁기, 냉장고, 밥솥 등의 가전제품은 최대한 밖으로 노출되지 않되 동선이 불편하지 않게 배치했어요. 그리고 온기가 느껴지는 나무 바닥, 시간의 흐름을 담은 빈티지 가구로 아름다운 공간을 만들고 싶었어요. 현재보다는 5년 후를 생각했죠. 나무는 시간이 갈수록 훨씬 더 멋스러워지잖아요. 저층이지만 거실과 주방의 큰 창문 덕분에 집 안으로 빛이 환하게 들어와요. 창으로 들어오는 빛과 바닥에 느껴지는 자연스러운 질감을 느끼고 있으면 꿈꾸던 집이 바로 여기라는 생각이 들어요."

물건의 제자리

"리모델링 후에 크게 아쉬운 부분은 없었는데 시간이 지나면서 정돈이 안 되는 공간이 눈에 들어왔어요. 안방의 욕실을 철거하고 그 공간을 반대편에 있는 붙박이장과 연결해서 시공했는데, 언제부턴가 물건이 쌓이기 시작하는 거예요. 당장 사용하지 않는 물건들을 자꾸 그쪽에 두게 됐죠. 고민 끝에 얼마 전 그 공간에 반대편과 마찬가지로 붙박이장을 설치했어요. 물건들이 방황하고 있다는 건 정확한 자리가 필요하다는 신호거든요. 그래서 이전에는 데드 스페이스였던 곳까지 수납공간으로 만들어 어수선하게 놓여 있던 물건들의 자리를 마련해 줬죠. 이젠 그 공간을 바라보기만 해도 흐뭇해져요."

2
취향을 담는 일

취향의 폭 좁히기

"본인이 좋아하는 것, 자신의 취향을 정확히 찾는 것이 중요해요. 의외로 자기 취향이 무엇인지 모르는 사람들이 많거든요. 저 역시 그랬어요. 저는 제가 아주 하얀 집을 좋아하는 줄 알았어요. 그래서 이전 집은 벽도 바닥도 가구도 모두 화이트를 선택했는데 '하얀 것'은 제가 좋아하는 몇 가지 중 일부였다는 걸 집을 완성해 놓고서야 알았죠. 그때부터 제가 좋아하는 것들이 무엇인지 생각날 때마다 나열해 보기 시작했어요. 책이나 SNS에서 보고 인상 깊던 공간, 여행지 혹은 영화 속 장면 등을 떠올리며 내가 꿈꾸는 공간의 이미지를 모아 보니 어렴풋이 내 취향이 무엇인지 알 수 있겠더라고요. 막연히 하얀색 집이 아니라 창 너머엔 푸른 나무가 있고, 온기가 있고, 묵직한 가구들로 집 안의 중심을 잡아주지만 어딘가 간결했으면 좋겠고…. 그런 식으로 나의 취향을 담은 집을 이미지화했어요. 구체적으로 벽, 바닥, 창문, 가구 등으로 대입해 나간 거죠. 살아보니 좋아하는 것으로 둘러싸인 일상이 얼마나 큰 위안을 주는지 몰라요."

오로지 플랜A

"좋아하는 공간을 만드는 일은 플랜B 없이 오로지 플랜A로만 이뤄져요. 그러다 보니 제법 오랜 시간이 필요하고, 또 필요한 물건이 생겨도 바로 살 수 없으니 때론 불편함을 감수하기도 해야 해요. 저도 전신거울이 필요하지만 마음에 드는 제품을 고르지 못해 몇 년째 구매를 못 하고 있거든요. 하지만 언젠가 찾을 걸 생각하면 그 두근거림 때문에 아무 물건이나 대충 살 수가 없어요. 하나하나 그렇게 공들이다 보면 나를 둘러싼 물건들이 저마다 사연을 갖게 되고 모두 소중해져요. 저희 집에 오래된 빈티지 의자가 하나 있는데요, 아침마다 블라인드 사이로 들어온 그림자와 조화를 이루는 모습을 보고 있으면 여전히 마음이 두근거려요. 그런 날은 아이의 투정에도 너그럽게 대처하는 엄마가 돼요. 취향이 주는 힘이랄까요?"

3
정갈함을 유지하는 일

습관이 된 살림

"예전에는 청소하는 방법이 궁금해 책과 블로그를 찾아보며 괜찮아 보이는 방법을 따라 했어요. 그런데 대부분 생각보다 조금 번거롭고 시간이 꽤 걸리더라고요. 유명한 청소법은 결국 지저분해진 순간의 해결법이 아닌 묵은 때를 얼마나 깨끗하게 닦아내느냐에 초점이 맞춰져 있어요. 아주 개운하긴 하겠지만 한 번에 많은 에너지를 써야 하기 때문에 육아를 하면서부터는 실천하기 힘들었어요. 그래서 대청소가 필요 없는 상태를 유지할 방법을 찾기로 했어요. 그러다 보니 자연스럽게 짬짬이 살림을 하게 되었죠. 청소기를 돌릴 때 다른 한 손으로는 먼지떨이로 걸레받이 위와 가구, 조명의 먼지를 함께 떨어내고, 낡은 행주는 버리기 전 바닥을 닦아내고, 빨아야 할 수건으로 욕실의 물기를 닦았어요. 세탁기에 수건을 넣기 전에는 세탁기와 냉장고 주변까지도 닦아내고요. 내가 지금 있는 공간에서 해야 할 일은 그 자리에서 끝을 내면 하기가 수월한데 마음먹고 하려면 여간 쉽지 않거든요. 한 공간에서 함께 할 수 있는 일을 찾아내 '하는 김에' 하는 습관을 들이게 되었어요."

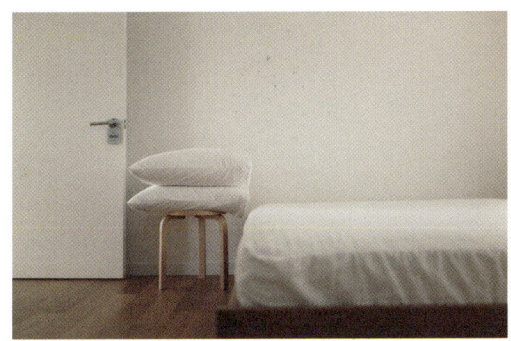

매일 오전 15분의 힘

"가장 중요한 건 바로 오전 15분의 힘이에요. 매일 아침 일어나서 이부자리를 정리하고 바닥과 싱크대, 식탁 위를 비워요. 모든 공간을 매일 쓸고 닦지 않아도, 바닥과 가구 위에 있는 물건들만 제자리를 찾아주어도 집 안이 한결 깔끔해지거든요. 개념을 청소(먼지를 쓸고 닦는 일)와 정돈(제자리에 두는 일), 정리(버리는 일) 세 가지로 나누고 매번 완벽하게 해내겠다는 마음보다는 정돈에 초점을 맞추고 있어요. 오전 15분이 모이고 모이니 손이 크게 가지 않는 집이 되더라고요."

4
아이와 균형을 맞춰 가는 일

어디에서든 놀고 한 곳에서 치우기

"아이가 놀고 난 공간은 알록달록, 아니 얼룩덜룩에 가까워지죠. 물론 저희 집도 마찬가지예요. 다른 집과 조금 달라 보이는 이유를 굳이 찾아본다면 아이 물건은 아이 방 외에는 수납하지 않기 때문일 거예요. 그래서 공용 공간은 아이가 없는 집처럼 보일 수 있어요. 거실, 서재, 주방 어디에서든 마음껏 놀게 허용하지만 수납 공간은 딱 한 곳으로만 정해 둬요. 장난감은 외출하기 전, 혹은 잠들기 전에 함께 치워요. 아이가 아주 어릴 때부터 놀이처럼 해왔더니 지금까지 힘들어하진 않아요. 가족이 모든 장난감의 제자리를 알기 때문에 정돈하는 일은 정말 금방 끝나거든요. 장난감은 바구니를 이용해서 정해진 자리를 만들어 두는데, 용도가 비슷한 제품끼리 모아 두면 위치를 기억하는 게 어렵지 않고 장난감이 섞이거나 잃어버릴 일도 없어요."

지금 아이의 모습에 집중하기

"아이 방에는 지금 시기에 필요한 물건만 있어요. 추억이 담긴 물건이나 물려받은 물건이 자리를 차지하지 않죠. 시기가 지난 장난감이나 작아진 옷, 신발은 당근마켓을 통해 정리해요. 아, 추억의 물건이라면 태어나서 처음 입은 배냇저고리 하나 있어요. 생각해 보니 저희 집에는 백일, 돌 사진 같은 아이의 기념 액자가 하나도 없네요. 그렇다고 저희가 아이에 대한 애정이 부족하다고 생각하지 않아요. 저희는 누가 뭐래도 당당한 딸바보인걸요. 저희 집에는 과거와 미래가 아닌 지금 사용하는 것만 있을 뿐이에요. 아이가 자라서 초등학생이 되면 아이가 고른 책상이나 침구로 방을 만들어 주고 싶어요. 지금 아이 방엔 제 취향을 담았다면 그때는 아이의 취향을 담아 아지트를 만들어 주는 거죠. 엄마와 함께 사용하는 놀이방이 무한한 꿈을 꿀 수 있는 자기만의 공간이 되었으면 해요. 엄마 취향과는 사뭇 다르더라도 말이죠."

5
새로운 시선으로 집을 바라보는 일

보통의 주방이 아니더라도

"주방은 주부의 공간보다는 가족 공용 공간으로 만들고 싶었어요. 다이닝룸을 따로 만들 게 아니라 조리대부터 식탁까지 유기적으로 연결해 활용하도록 했죠. 리모델링 전에는 싱크대에 선 사람은 벽을 보고, 식탁에 앉은 사람들은 서 있는 사람의 뒷모습을 보는 구조였어요. 반대로 몸이 식탁을 향해 있으면 함께하는 기분이 들어요. 설거지할 때 식탁에 앉아 그림 그리는 아이를 바라보는 일도 재미나고요. 늘 구석진 부엌에서 혼자 음식을 준비하는 엄마 뒷모습을 보고 자라서 그랬던 것 같아요. 가족이 밥을 먹을 때도 엄마는 계속 음식을 만들거나 설거지를 하셨거든요. 주방을 만들 때 엄마 생각을 많이 했어요. 싱크대 뒤로 있는 큰 창은 주방을 확장하기 전에 있던 발코니 창인데 창틀을 2:1로 비율을 바꿨더니 기대 이상으로 멋진 선물이 되었어요. 덕분에 저는 주방에서 사계절을 감상하고 있어요. 이 공간에 가장 오래 머무는 사람이 저라는 건 아주 큰 행운이에요."

집 안에서 느끼는 계절

"계절과 날씨에 따라 집의 얼굴을 바꿔 주면 공간을 훨씬 더 즐겁고 편안하게 만들 수 있어요. 녹음이 짙은 계절엔 창밖 풍경이 잘 보일 수 있도록 소파 위치를 옮기고, 앙상한 가지만 남은 스산한 계절엔 집 안의 온기를 올려 줄 패브릭이나 소품들로 분위기를 바꿔 보는 거예요. 크리스마스에는 커다란 트리를 꾸미고 조금 화려한 카펫으로 연말 분위기를 내죠. 집을 가꾼다는 건 단순히 집을 예쁘게 만드는 것 이상으로 잃어버린 나의 자존감을 회복하는 일이에요. 꾸준히 집을 사랑하고 있다는 징표이기도 하죠."

조석경

소소한 일상과 살림 이야기를 담은 블로그 '살림하기좋은날'로 많은 이들과 소통하고 있다. 집을 정갈하게 가꾸는 노하우를 정리한 책 《나는 버리지 않기로 했다》를 썼으며, 홈&리빙 브랜드 이공사홈을 운영한다. 204home.co.kr

A DIARY THAT STAYS HOME ALL DAY

집콕일지

바이러스가 가져다준 공간과 시간의 새로운 개념. '집 안에서 하루 종일.'
도망가지 않고 주어진 자원을 나름대로 활용하며 버텨내는 나날들.

2월 23일 일요일 | AM 11:22

제발 나한테 일을 좀 시켜줘

날씨가 푹해졌는데, 코로나19 확진자 수가 급격하게 늘었다. 재택근무를 하면서 봄 방학 중인 아이를 돌본다. 눈 뜨고 나서 잠들 때까지 집에만 있다 보니 바쁘다는 핑계로 묵혀둔 공간을 더는 둘 수가 없어졌다. 며칠 전부터 베란다를 비워낼 생각이었다. 안 쓰는 물건과 짐을 넣어두곤 관심을 두지 않았는데, 커튼을 걷을 때마다 정리 안 된 짐이 눈에 거슬렸다. 짐의 양을 파악하고 야외용 창고 하나를 주문했다. 조립형 창고가 온 날, 사용하지 않는 건 버리고, 캠핑용 짐은 차곡차곡 테트리스 하듯 넣었다. 묵은 짐을 비워내니 말간 얼굴이 보인다. 오늘은 깨끗하게 씻어줄 참이다. 혼자서 여유롭게 청소할 생각은 진작에 하지 않았건만, 이룸이 팔을 걷어붙이고 나선다. 제발 나한테 뭘 좀 시켜 달라는 아이의 반짝이는 눈빛이 좀 성가시지만, 오늘은 우리 같이 해보자. 내가 바닥을 쓸면 아이가 큰 바가지에 있는 물을 조르륵 붓는다. 잠시 후 우리는 역할을 바꿔야 했다. 이제 내가 물을 붓는다. 뭔가가 생각난 듯이 자기 방으로 가서 실험용 고글과 라탄 모자를 쓰고 나타났다. 아이, 너의 눈과 얼굴은 참 소중하구나.

청소의 끝을 알리며 "이제 깨끗하다, 다했어!"라고 여러 번 외쳤건만, 혼자만의 아우성 같은 내 외침은 아이에게 가닿지 않는다. 아이는 아직 한창이다. 창문도 닦아야 한다며 굳이 깨끗한 창문에 열심히 물을 뿌리며 얼룩을 더한다. 아, 모르겠다. 거기서 혼자 놀아준다면, 밑지는 장사는 아닌 것도 같고.

2월 25일 화요일 | PM 06:10

믿을 수 없는 봄

바이러스 확진자 893명. 전날보다 130명이 늘었군. 매일 아침 확진자 수를 확인하며 하루를 시작한다. 불안과 경계가 평온한 일상을 앗아가 버렸지만 인터뷰를 위해 밖으로 나왔다. 맞은 편에서 걸어오는 사람, 뒤따르는 사람, 골목에서 튀어나온 사람 할 것 없이 마스크로 얼굴을 푹 덮고 걷는다. 한 번도 상상해보지 못한 가엾고 서글픈 봄 풍경이다. 약속 장소에 도착해 갓 두 돌인 아이와 가족을 보니 금세 마음이 느슨해졌다. 유리장을 열어보려고 야무지게 다문 아이의 입, 흥이 나서 열심히 흔들다 미끄러진 아이의 발바닥. 바깥세상일랑 상관없는 온기가 이곳을 가득 채웠다. 다음 장소로 이동한 뒤 빵으로 허기를 채우고 남은 일을 끝냈다. 다시 버스에 올랐는데 속이 더부룩하고 멀미가 났다. 버스 티브이 하단에 나지막이 지나가는 추가 확진자와 사망자의 수치, 이를 위해 부산히 노력 중인 정부의 움직임, 날카로이 화면을 바라보는 마스크 낀 얼굴들, 서로 경계하는 눈초리. 그 온도 차에 머리가 지끈거린다. 버스 문은 왜 모조리 닫혀 있는지, 탁한 공기에 창문을 열었다. 그러나 마스크를 낀 코에 바람이 들어올 리 없다. 상쾌한 공기가 느껴지지 않는다. 곧 봄이라는 사실을 믿을 수가 없다.

3월 21일 토요일 | PM 02:07

웰컴, 홈 카페

느지막이 일어나 아점을 먹는다. 코로나19라는 커다란 사회적 변화는 지금까지 맞닥뜨리지 않은 새로운 시간의 개념을 가져왔다. 가야 할 유치원도 학원도 없고 산책과 놀이터도 나가지 못한다. 우리는 집 안이라는 발목 잡힌 공간에서 하루 종일이라는 시간을 배당받았다. 오늘은 어떻게 이 시간을 보내지? 베란다에 캠핑 테이블과 의자를 놓고 좋아하는 테이블보를 깔았더니 그럴 듯한 홈 카페가 되었다. 점심을 먹고 베란다 홈 카페에서 티를 마시기로 했다. 순식간에 나는 손님, 주인은 이룸이 된다. 메뉴판인듯한 종이를 하나를 가져와서 "주문하실래요?" 묻는다. 노키즈존은 아닌지 아이도 같이 왔냐고 꼭 물어봐 주는 친절한 사장님이다. 잠시 후 찻잔을 준비하더니 내가 끓여놓은 차를 붓는다. 이 카페의 엉뚱한 점은 글로 다 써 내려가기 힘들 정도다. 그중 하나는 찻잔 받침은 주문을 해야 가져다준다는 점이다. 야무지게 린넨 테이블보에 받침을 싸 와서는 꽤 능숙하게 찻잔 아래 깔아준다. 영국 레스토랑에 갔을 때 앞접시를 주문했더니 예쁜 천에 싸서 갖다준 걸 기억하는 모양이지.

마주 보고 앉아 개량 한옥의 지붕을 내려다본다. 고양이가 낮잠을 자고 새가 놀러 와 쉬어가는구나. 여태 이걸 몰랐다. 바람에 흔들리는 나뭇잎을 한참 바라보다 하늘을 올려다본다. 우리를 에워싸는 햇볕이 이렇게 다정했었나, 바람은 참 간지럽기도 하네. 하늘은 또 얼마나 맑은지.

3월 27일 금요일 | PM 10:04

이인삼각

무기한 연장된 유치원 개학에 남편과 나는 있는 휴가를 다 끌어 쓰며 아이를 본다. 집에 있어야 하는 아이를 혼자 둘 수 없다는 목표를 위해 스케줄 앱을 깔고 서로의 근무를 체크한다. 이인삼각을 나가는 선수처럼 앞을 보고 안쪽 발을 묶고, 어깨동무를 한다. 한쪽이 빨라지면 같이 넘어지니까 속도를 잘 맞추려 서로의 발도 봐줘야 한다. 아직 도착지가 보이지 않지만 별다른 도리가 없다. 우리에게 주어진 길을 그저 계속 걸을 뿐이다.

하지만 끝을 가늠할 수 없는 길을 가기란 쉽지 않다. 그동안 쌓아 온 새벽 기상과 소중한 루틴이 무너져 버린 지 오래고 어질러진 집은 애써 모른 척하고 출근한다. 자유를 얻은 아이의 호기심은 날개를 달았다. 집 안 구석구석 있는 줄도 몰랐던 유물들이 다 밖으로 나왔다. 정리는 모르는 일이며 샤워를 하자고 하면 "잠깐만 아직" 하며 한 시간을 버티는 아이에게 결국 감정이 폭발했다. 날카롭고 찢어진 소리가 흰 벽에 울렸고, 싸늘한 공기에 정적이 흘렀다. 더는 뒤로 물러설 수 없던 아이의 항복을 받아냈지만 역시 후회스럽다. 꼭 붙어 지내면서 굳이 알지 않아도 될 인간의 밑바닥을 다 내보이는 느낌이다. 우리 사이에 거리가 절실하다. 아이는 왜 안 했으면 싶은 것만 하는지, 남편은 어째서 매번 물건을 못 찾는지, 나는 왜 이렇게 잔소리와 화를 달고 사는지. 내가 바꿀 수 있는 건 나뿐이라 자꾸만 화를 내는 내가 가장 괴롭다. 남편에게 아무래도 심리 상담을 받아봐야 할까 봐, 라고 볼멘소리를 했더니 이런 말을 했다. "지금은 그럴 수밖에 없어. 아이와 잘 놀아주고 다정한 엄마가 되는 거까지 하려고 하지 마. 그냥 아이 곁에 있어주기만 해도 좋은 부모인 거야. 이정도면 잘하는 거지, 뭐." 나에게 가장 필요한 건 위로였나 보다.

4월 10일 금요일 | PM 08:25

너도 나도 즐거운 댄스 파티

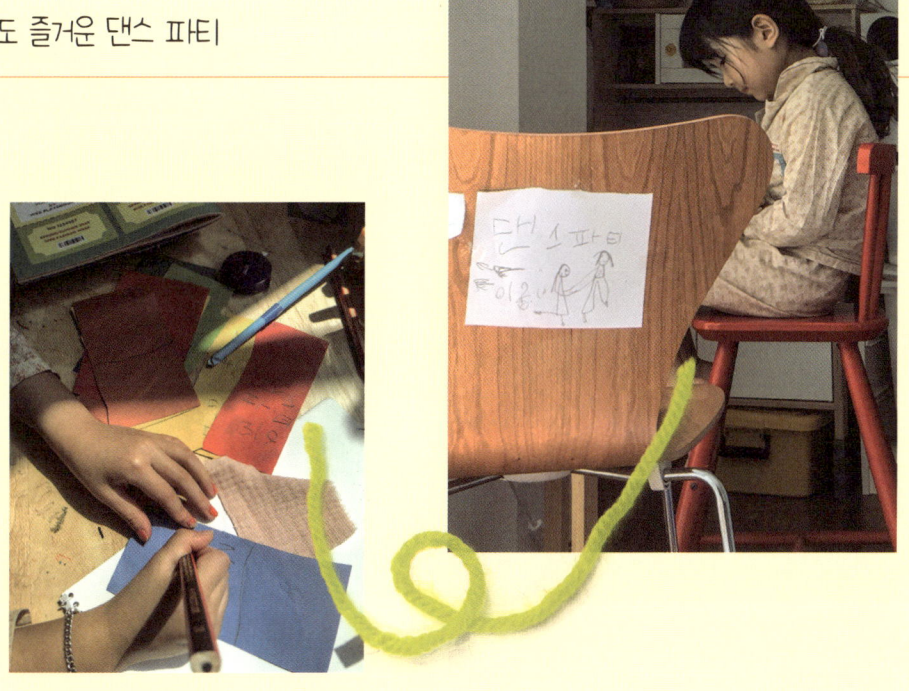

남편과 내가 출근 일정과 시간을 조정할 수 있는 건 참 감사한 일이다. 그렇다고 일의 양이 준 건 아니므로 근무가 불규칙한 남편은 오전에 잠을 자둬야 하는 경우가 종종 있다. 나도 출근을 해야 하는 날엔 이룸의 영어 동영상 타임이다. 넷플릭스에서 보고 싶은 동영상을 찾고, 영상을 몇 개 볼지 정한 뒤 크롬캐스트로 미러링을 해주고 출근한다. 한 시간쯤 지나면 전화가 온다.
"엄마 있잖아, 약속을 지키고 싶었는데… 나 딱 한 개만 더 보면 안 돼?"
이룸이 요즘 즐겨보는 영상은 <마이 리틀 포니>다. 트와일라잇이 부리는 마법을 따라 하고, 레인보우 대시가 친구들의 놀림에도 플라잉 대회에서 1등 하는 장면을 감격스러워한다. 처음엔 같이 보고 이야기도 나눴지만 사실 아이가 이걸 보는 시간만이 유일한 자유 시간이다 보니, 곁에서 같이 봐주기가 힘들다. 매 시리즈를 계속 볼만큼 흥미롭지도 않고.
오늘은 "엄마도 좋아하는 걸 하고 싶어." 하면서 즐겨 듣는 음악을 틀었다. 이를 놓칠 새 없는 이룸이 부랴부랴 댄스 파티를 연다. 나는 티켓을 구매하고 댄스 파티에 참석해야 한다. 이룸 DJ가 신청곡을 받고 오디오를 튼다. 어쩐지 이 시간은 나도 좀 즐겁다. 90년대 노래를 틀고 목청 높여 따라 부르기도 하고 엉덩이를 흔들며 어디서 보이지 못할 이상한 춤을 춘다. 이룸도 엄마가 웬일이지 하는 얼굴로 같이 춤을 춘다. 이 이벤트는 대개 잠들기 전 침대 위에서 붉은 조명만 켜두고 하는 경우가 많은데, 나는 맥주 한 잔, 이룸은 주스 한 잔을 마시고 우리는 침대에서 방방 뛴다. 그러다 데구루루 안고 뒹굴면 까르르 까르르 그렇게 다정할 수 없다. 문제는 끝을 안 내려고 하기에 취침 시간이 늦춰진다는 건데, 엄마가 진심을 다해 같이 논 날엔 아이도 덜 조르기에 길고 긴 실랑이는 아니다. 앞으로도 종종 우리 집에 밤의 댄스 파티가 열릴 예정이다.

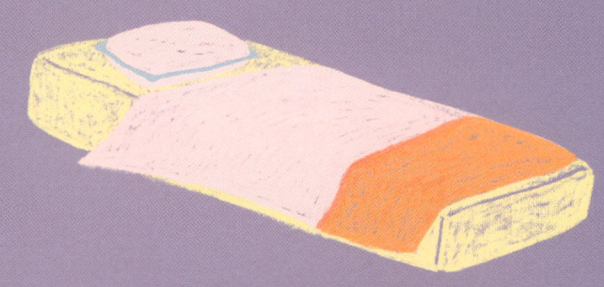

Special Objet
In My House

물건에는 보이지 않는 힘이 존재한다. 밋밋했던 집을 생기 있게 만들고, 특별할 것 없었던 가족의 대화 시간을 더욱 즐겁게 만들기도 한다. 브랜드의 고유한 아이덴티티와 디자이너의 취향을 듬뿍 담아 탄생한, 우리 가족의 일상을 더욱 풍요롭게 해줄 오브제들을 소개한다.

에디터 남지연 일러스트레이터 은조

위트 넘치는 가구
스마일문

서클캐비넷
원형의 커다란 문과 비비드한 컬러가 호기심을 자극하고 상상력을 불러 일으킨다. 아이들은 옷장 용도 외에도 자신이 아끼는 물건을 수납하기도 하며 귀여운 세상을 만들고 채운다.
2,300,000원

로우테이블
바라보는 각도에 따라 달리 보이는 모양으로 시각적 즐거움을 준다. 앉기 시작하는 유아부터 간식을 먹거나 놀이 활동을 하는 어린이까지 사용하기 좋으며 침대 옆 사이드 테이블로도 추천한다.
280,000원

레더체어
수영장에 있는 사다리에서 영감을 받아 탄생했다. 아이들은 실제 사다리처럼 오르내리며 단순한 가구로서의 쓰임을 넘어 하나의 놀이기구, 혹은 아트 오브제처럼 사용하기도 한다.
230,000원

smile, moon

내 아이의 가구를 위해 엄마와 아빠, 그리고 할아버지가 뭉쳤다. 디자이너인 엄마와 설치와 조형 작업을 하는 아티스트 아빠, 40년 넘게 가구를 만들어 온 외할아버지가 손자를 위해 직접 만들며 시작되었다. 단순한 쓰임을 넘어 아이들이 놀이처럼 느끼고 상상력을 키워갈 수 있는 하나의 아트 오브제와 같은 가구들을 선보인다. smilemoonkids.com

따뜻하고 부드러운 잠
에콘드

원더랜드 패드
아이의 첫 이불로 추천하는 제품이다. 가방 형태로 접어 다닐 수 있어 낯선 환경에서도 아이가 편안함을 느낄 수 있다. 경쾌한 컬러감과 사선으로 이어붙인 유니크한 패턴이 특징이다.
85,000원

원더랜드 키즈 베개 커버
싱그러운 세 가지 컬러가 눈길을 사로잡는다. 고운 80수 면 섬유를 촘촘하게 직조한 덕분에 피부가 민감한 아이들도 사용할 수 있다. 크림처럼 부드러운 촉감이 달콤한 꿈나라로 빠져들게 한다.
29,000원

엠마 블랭킷
몸에 감기는 감촉이 좋은 엠마 블랭킷은 신생아부터 사용하는 아기 블랭킷이다. 비교적 얇은 두께로 가볍고 유연해 사계절 사용이 가능하다. 블랭킷 곳곳에 더해진 잔잔한 자수가 사랑스럽다.
52,000원

ECHOND

아이가 사용해도 좋을 안전하고 부드러운 소재와 실용성에 가장 포커스를 두고 다양한 패브릭 제품을 기획한다. 아이와 함께하는 모든 찰나의 순간에 자연스럽게 스며들길 바라며 그 기억이 가족들에게 행복함으로 오래 품어지기를 꿈꾼다. echond.com

새롭고 놀라운 카펫
오타피스

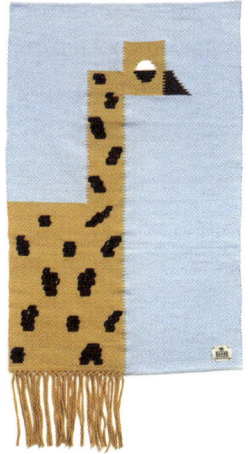

Gur No.16 Giraffe

포르투갈 디자이너 아나 티프스 티프Ana Types Type의 귀엽고 독특한 일러스트 작업이 더해져 완성되었다. 다양한 시각적 도전을 즐기는 그의 에너지와 위트가 그대로 담겼다. 봉을 추가하면 벽걸이도 가능하다.

220,000원

Studio Herron No.2 Parabola

아치를 그리는 포물선 라인의 디자인이 돋보이는 블랭킷으로 옐로우와 블루 컬러가 조화롭다. 코튼 100%로 촉감이 부드러우며 공간에 따라 러그, 타피스트리, 베드 스프레드로도 활용할 수 있다.

260,000원

Gur No.11 Marcel

포르투갈 디자인 스튜디오 Colonia가 마르셀 뒤샹Marcel Duchamp의 생전 인터뷰에서 영감을 얻어 제작했다. 그는 "체스는 예술의 모든 아름다움을 가지고 있습니다. 어쩌면 그 이상이죠."라고 말했다.

320,000원

O,Tapis

'오타피스'에서는 유니크한 러그와 패브릭 아이템들을 만날 수 있다. 감탄사 '오'와 카펫을 의미하는 프랑스어 'Tapis'의 합성어로 새롭고 독창적인 패브릭과 러그 아이템들을 선별한다. 이와 더불어 일상에서 더욱 재미있고 가치 있게 아이템들을 활용하는 방식을 보여준다.
otapis.com

식사가 즐거워지는 시간
카모메키친

Duralex 리스 사파이어 접시
일반 유리보다 강도가 높아 전자레인지, 냉동고, 식기세척기 사용이 가능하다. 투명하고 선명한 블루 컬러가 테이블 위를 더욱 생기 있게 만들며 오래 사용해도 싫증 나지 않는 매력이 있다.
5,500원

Nature 애쉬 이유식기
우드 소재로 깨질 위험이 적어 아이들을 위해 추천한다. 이유식부터 간식, 과일 등 무엇이든 담기에 좋으며 무독성칠로 안전하게 제작되어 어린 아이부터 온 가족이 안심하고 사용할 수 있다.
2,500원

주퍼조지알 트리플볼
대나무 섬유질과 옥수수 파우더로 만든 자연주의 네덜란드 제품이다. 재료가 되는 식물들을 발효 및 증류 시킨 뒤 고온에서 중합 시키는 과정으로 제작되어 100% 생분해가 가능하다.
37,000원

kamome kitchen

내추럴하고 편안하며 보다 나은 라이프 스타일을 위한 다양한 키친 제품을 제안한다. 집안에 한번 들이면 오래 사용할 수 있는 퀄리티를 자랑하는 동시에 유니크함 또한 잃지 않아 멋진 테이블을 완성한다. 덕분에 가족들이 함께하는 식사 시간을 더 즐겁고 가치있게 만들어준다.
kamomekitchen.kr

몽글몽글 피어나는 거품
노브워크샵

밀크비누
유기농 우유와 오트밀을 넣어 만든 순하고 촉촉한 비누이다. 불필요한 각질을 제거해 피부를 맑게하며 당김 현상을 완화시킨다. 부드럽고 풍부한 거품과 고소한 향이 오감에 힐링을 선사한다.
12,000원

촉촉 소금 비누
미네랄이 풍부한 히말라야 핑크 소금을 듬뿍 넣어 만들어 소금 마시지 효과가 있다. 피부 순환 촉진에 도움이 되며 각질 제거 효과와 함께 수분감이 있어 건조한 피부에 추천한다.
15,000원

카렌듈라 마르세유 비누
프랑스 마르세유 비누의 전통 레시피를 토대로 올리브오일 72%를 넣었다. 카렌듈라와 캐모마일을 넣어 우려낸 올리브오일 덕분에 피부가 약하고 예민한 아기에게도 사용이 가능하다.
13,000원

nov workshop •

2016년에 망원동에서 시작되었다. 식물성 오일과 천연 재료들을 소재로 다양한 수제 비누와 향기 제품들을 판매한다. 그날의 기분이나 컨디션에 따라 매일 다른 비누를 선택해 사용하는 즐거움을 느껴볼 수 있는 브랜드로 추천한다. smartstore.naver.com/novworkshop

PICTURE BOOK

가끔은 나쁜 일이 좋은 일이 된다

ⓒ 맛있는 건 맛있어

벌써 몇 달째 집에만 있다. 다행히 아이들이 집 안에서 뛰어다니는 건 졸업한 나이라서 복닥복닥하지는 않다. 그래도 하루 종일 엄마엄마엄마엄마엄마엄마 불러대는 건 여전하다. 대신 나도 아이들을 불러댄다. "컴퓨터 이거 좀 봐줘. 방금 쓴 글이 사라졌어." "라면 끓여줄 사람? 가위바위보!" 집에만 있더니 두 아이가 더 친해졌다고 딸아이는 말했다. "지금까지 우리는 별로 싸운 적 없었잖아. 그래서 난 우리가 사이가 좋다고 생각했는데, 이렇게 친해지고 나니까 그동안 싸우지 않은 거지 친한 건 아니었다는 걸 깨달았어."

친한 게 싸우지 않는다는 뜻이 아니라, 잘 화해한다는 뜻인 걸 이제는 안다. 싸우는 건 일상. 하지만 충돌했다고 관계가 깨어지지 않도록 열심히 유머와 공감으로 충돌 부위를 덕지덕지 때우고 메우면서 지낸다. 감정도 덧바르고 때울수록 두터워진다. 우리 집 아이들은 내가 블로그에 쓴 육아 일기를 좋아한다. 둘째가 가장 좋아하는 일기는 여섯 살 때 누나와 싸우고 편지를 쓴 이야기다. 둘이 싸우고 한바탕 울고 났는데, 누나가 "잘 먹고 잘 살아라"라고 쪽지를 줬다. 여섯 살짜리가 들어도 그게 좋은 말이 아닌 줄 알겠는데, 맘껏 답장을 쓸 한글 실력이 못됐다. 간신히 쓸 줄 아는 글자들로만 답장을 썼다. "사랑해." 사랑한다고 쓴 게 억울해서 또 목이 터져라 우는데 동생의 편지에 감동한 누나가 와서 "나도 사랑해."라며 젤리 하나를 준 것이다. 머쓱해진 동생과 누나의 화해! 그날의 일기를 이번 코로나 기간 동안 몇 번이나 읽었는지 모른다.

이제 엄마보다 키도 큰 녀석들이 집에서 심심해 죽다 못해, 어린 시절 읽던 그림책도 꺼내 읽는다. "그림책엔 법칙이 있어. 첫째, 연필은 죄다 마법 연필이야. 그리면 그게 진짜가 되는 거야. 둘째, 제일 큰 애랑 제일 작은 애가 친구야. 곰이랑 토끼, 코끼리랑 생쥐. 그냥 비슷한 애들끼리 친하면 안 돼? 셋째, 나쁜 일이 좋은 일이 된다는 거야. 소중한 걸 잃어버렸는데, 찾으면서 새 친구 사귀고, 구멍에 빠져서 모험 여행을 하고, 유치원 안 간다고 울던 애가 제일 잘 놀아. 뭐야? 현실은 이렇지 않다구우~."

아니다. 현실도 그렇다. 음. 정확하게 말하자면, 현실도 '가끔은' 나쁜 일이 좋은 일이 된다. 집에만 있는 덕분에 남매가 친해지고, 공기가 맑아지고, 강에는 물고기가 돌아왔다. 지루해서 하루 종일 잠을 잤더니 키가 쑥 컸고, 엄마는 괴로워하면서도 요리 솜씨가 늘었다. 제일 좋은 건 이것이다. 일상의 소중함을 깨닫게 된 것.

전은주
라디오 방송작가로 활동하다 아이를 낳고 육아에 전념하면서 그림책의 세계를 알게 되었다. 현재 네이버 카페 '제이그림책크럽'에서 다양한 그림책 독자들의 모임터를 운영하고 《엘르 투, 그림책 육아》《영어 그림책의 기적》 등을 펴냈고 독자 기반 그림책 전문 잡지 《대가바둥》를 발행하고 있다.

글 전은주 에디터 김현지

Rain: 비 내리는 날의 기적
글·그림 샘 어셔 | 옮김 이상희 | 주니어RHK

허리케인
글·그림 데이비드 위즈너 | 옮김 이지유 | 미래M&B

책 표지를 가만히 만져본다. 빗방울만 반짝반짝 코팅돼 있어서 입체감이 확 느껴진다(이른바 에폭시 효과). 정말 유리창에 맺힌 빗방울 같다. 때로 이렇게 만져보고 싶은 책을 만나면, 역시 그림책은 '종이 책!' 감탄이 나온다. 정말 그럴까? 요즘 아이들 친숙한 대로 컴퓨터나 패드로 그림책을 보면 얼마나 신기한 특수효과들이 많겠어~ 배경음악도 알아서 착착 깔아주고, 주인공 얼굴을 맘대로 바꿀 수 있을지도 몰라. 그런데도 종이 책이 좋을까…? 이런 상상. 비 오는 날 밖으로 나갈 수 없을 때 이렇게 하염없이 상상하고, 기다리는 이야기다. 아이는 나가서 노는 상상을 한다. 드디어 정말 나갈 수 있게 되었을 때도 상상은 이어진다. 평범한 비 오는 날이 배를 타고 떠나는 여행이 되는 상상. 그 끝에 할아버지는 아이에게 들려준다. "세상에서 가장 좋은 일들은 꼭 참고 기다릴 만한 가치가 있단다."

비 오는 날을 가장 아름답게 그린 그림책이라는 평가를 받는 이 책에서 가장 아름다운 것은 빗방울도, 비가 내리는 하늘도, 나무도 아니다. 바로 물웅덩이. 우리가 흔히 지나치는 길거리 물웅덩이가 이렇게 아름다운 것인 줄 당신도 아마, 몰랐을 것이다.

비가 오다 못해 이 책은 허리케인이다. 허리케인 때문에 꼼짝 못 하고 집에 갇힌 형제가 있다. 다음 날, 간밤에 허리케인은 커다란 나무를 쓰러뜨리고 가버렸다. 나무는 이제 형제에게 신나는 놀이터가 된다. 어른들이 보면 그저 쓰러진 나무, 치우려면 목돈이 드는 골칫덩이일 뿐이지만, 아이들에게는 거대한 우주선이 되기도 하고, 순식간에 정글이 되기도 한다. 형제는 거침없이 모험을 떠난다. 데이비드 위즈너의 그림은 늘 그렇듯이 너무나 사실적이기 때문에 오히려 더 낯설게 느껴질 정도다. 글자가 없는 그림책은 어떻게 읽어줘야 할지 모르겠다며 불편해하는 어른들이 많지만, 이 책은 걱정 없다. 그림이 충분히 말을 하고 있기 때문이다. 잘 그린 그림은 많지만, 말하는 그림은 흔치 않다. 오히려 어른이 말을 지어내 해주면 아이가 시끄럽다고 할지도 모른다. 어른도 부담감 없이 그림을 뜯어보며 즐기면 된다.

"집에만 머무는 그림책을 소개하는 거 아니에요?"라고 묻는 이가 있다면 이렇게 답하겠다. "이것 보세요. 여긴 마당 있는 단독주택이에요. 이 거대한 나무도 마당에 있는 것이라니깐요?" 부럽다 마당!

맛있는 건 맛있어

글 김양미 | **그림** 김효은 | 시공주니어

적당한 거리

글·그림 전소영 | 달그림

한 친구가 말했다. 코로나19로 집에 머무는 몇 달 동안 하루 세 끼 빠져나갈 길 없으니 1년치 밥을 해댔다고. 학교에서 가장 중요한 것은 마음의 양식이 아니라 몸의 양식, '급식'이란 걸 알게 됐다고. 그렇다. 이번에 요리 실력이 쑥 늘었다는 분들이 많으리라. 아침밥을 먹으며 "점심 뭐야?" 묻는 아이들, 심심하니 먹을 것으로 변화를 누리려는 가족들을 보면서 냉장고 파먹기를 하는 수밖에! 집에만 있으니 움직일 일이 줄어서 덜 배가 고플 것 같은데, 왜 돌아서면 배 고프다고 하는 걸까? 어쩌겠는가. 가족과 함께 집콕해야 하는 이 시절, 가족이 함께 먹는 음식들은 우리의 몸과 마음을 토실토실 건강하게 자라게 하는 기쁨이자 추억 그 자체인 것을.

주인공 아이는 누가 무엇을 먹나 소소한 관찰을 한다. 새는 감을 쪼아 먹고, 고양이 아노는 오이를 훔쳐 먹는다. 동생은 단추를 몰래 먹다가 들켰다. 눈물 콧물 줄줄 흘리며 우는 걸 보니 되게 억울한가 보다. 아이는 피자는 크리스마스트리 같고, 스파게티는 몸 안에 길이 생길 것 같다고 상상한다. 보글보글 찌개가 끓는 부엌에서 엄마를 바라보며 이런저런 상상을 하는 아이들. 멀리서 보면 노란 불빛이 얼마나 따뜻한지 모른다. 저절로 감탄이 나온다. 맛있는 건 맛있어!

요 몇 달 가장 많이 들은 말이 아닐까? 사회적 거리 두기. 사실은 코로나19 이전에도 '거리 두기'는 반드시 필요한 것이었다. "무슨 일 있어? 왜 이렇게 살쪘어? 얼굴은 팍 늙었네?" "둘째 언제 낳아? 애 하나면 나중에 외로워~." "자가예요, 전세예요?" 훅 들어오는 질문들. 왜 내가 당신에게 그런 걸 대답해 줘야 하느냐고, 당신이 무슨 상관이냐고 따지지도 못하고 나중에 이불킥만 한 게 어디 한두 번이었던가? 하지만 거리 두기는 참으로 어려운 것이어서 너무 멀리 떨어지면 그것도 힘들다. '적당한 거리'는 어느 만큼일까? 그늘이 필요한 것은 그늘에 두고, 양지바른 곳이 필요한 화분은 양지바른 곳에, 적당한 곳에 두어야 한다. 바람마저도 딱 적당해야 '초록이'들은 잘 자란다. 적당한 것을 알려면, 있는 그대로 인정해 줘야 한다. 작가는 한 발짝만 떨어지라고 한다. 초록이뿐만 아니다. 사람도, 특히 자식은 적당히 떨어져 있어야 잘 자라더라. 적당한 거리가 필요한 것, 그것은 나 자신을 위해서 가장 그렇다.

괴물이 나타났다

글·그림 여기 | 월천상회

바다와 하늘이 만나다

글·그림 테리 펜, 에릭 펜 | 옮김 이순영 | 북극곰

사회 전체가 'Stay at Home' 해야 하는 시절을 건너며, 어른이야 '적당한 거리'를 즐기기도 하련만 어린아이들에겐 답답함이 두 배일 것이다. 얼마나 놀이터로 산과 들로 뛰어나가고 싶을까?

그래도 한땀이와 따리 남매는 블록을 갖고 잘 놀고 있었다. 순간 티격태격 급기야 싸우고 엉엉 울기는 하지만, 그 정도야 일상다반사다. 그런데 갑자기 괴물이 나타나 둘이 쌓아 놓은 블록을 부수는 것이 아닌가? 싸울 때 싸우더라도 공동의 적이 나타나면 뭉치는 남매! 할짝 공격 간지럼 공격으로 괴물을 물리친다. 도대체 이 괴물들은 어디에서 나타난 거야? 그렇다. 괴물들은 바로 엄마 아빠. 꼼짝없이 갇혀 있어야 하는, 좀더 신나는 것이 필요한 아이들에게 엄마 아빠는 자신을 놀잇감으로 내어줄 수밖에! 내어놓느냐 아니냐에 따라 똑같이 격리의 세월을 지내면서도 어느 아이는 지루해 죽을 뻔한 시기로, 어떤 아이는 엄마 아빠와 한 뼘 더 친해진 기회로 기억할 것이다.

《괴물이 나타났다》의 작가 이름은 '여기'다. 2014년 볼로냐 도서전 올해의 일러스트레이터이자 세 아이의 아빠인 여기 작가의 이름을 코로나 시대를 견디는 비법으로 삼아보자. 바깥을 그리워하지만 말고 여기를 누리자고, 행복이 만들어지는 곳은 여기라고 아이에게, 나 자신에게 말해주자.

이 책을 쓴 테리 펜, 에릭 펜 작가는 형제다. 누가 글, 그림인지도 확실하게 밝히지 않는다. 어릴 때부터 한가로운 농장에서 함께 붙어 지냈다고 한다. '반딧불을 쫓아다니고 건초 더미도 쌓으면서 황금색으로 천천히 물들어가는 계절의 변화'를 함께 지켜보았다. 함께 붙어 지내야만 했던 그 시절이 지금의 황금콤비를 낳았을 것이다. 우리 아이들도 지금 서로 세상에 둘도 없는 단짝을 만들고 있는 중인지도 모른다. 형제 남매가 아니라면 이 책의 주인공처럼 할아버지와 혹은 누군가와. 집에 갇힌 바람에 우리는 한껏 지루해졌고, 덕분에 내 속의 목소리를 들을 기회를 갖게 되었다. 주인공처럼 책 앞에 앉게 된 사람도 있을 테고, 주인공처럼 하늘과 바다가 맞닿은 곳으로 가는 꿈을 꾼 사람도 있을 것이다. 상상은 반드시 넓은 공간을 필요로 하는 것이 아니니까. 바다와 하늘이 만나는 곳은 작은 책상 앞일 가능성이 더 높다. 주인공이 앉아있는 책상 주위의 책들을 살펴보자. 펜 형제의 또 다른 작품 《한밤의 정원》이 숨어 있다. 그림책 속의 숨은 '꺼리'들을 찬찬히 들여다보는 여유, 어쩌면 격리가 우리에게 주는 선물일지도 모르겠다.

미래를 위한 그림
힐마 아프 클린트

우리는 그림을 볼 때 그림 속에서 작가가 주는 힌트를 최대한 찾으려고 노력한다. 어떤 그림은 그림이 주는 힌트가 너무 선명해 우리를 그림 속으로 걸어 들어가게 하고, 어떤 그림은 아무리 봐도 수수께끼 같아서 그림 곁에서 서성거리게 만든다.

'누군가를 그리워하는 마음.' '어디론가 떠나고 싶어 하는 마음.' 이런 보이지 않는 마음을 그린다면 어떤 모습일까? 가고 싶어 하는 목적지가 정확하다면 그 목적지를 그리면 되겠지만 만나고자 하는 사람이 이미 세상에 없거나, 떠나고 싶은 곳이 미지의 세계라면 그 그림들의 모습은 새로운 형태일 것이다. 여기 보이지 않는 세계와 만져지지 않는 마음만을 평생 그리다가 떠난 화가가 있다.

글 이소영 에디터 이다은

작업실에 있는 힐마 아프 클린트의 사진, 1895, Wikipedia

이소영
미대를 나와 대학원에서 미술교육과 미술사를 전공했고, 오랜 시간 서울시립미술관에서 전시해설을 했다. 현재 '소통하는 그림연구소'를 운영하며 미술 교육 콘텐츠를 연구하고, 다양한 매체를 통해 미술을 전달하고 있다. 저서로는 《그림은 위로다》, 《모지스 할머니, 평범한 삶의 행복을 그리다》, 《출근길 명화 한 점》 등이 있다.

이해받지 못하는 그림

"내 그림들은 내가 죽어도 20년간 세상에 알리지 말아줘."
1944년 10월 21일, 82세의 한 여인이 이런 유언을 남기고 세상을 떠났다. 힐마 아프 클린트Hilma af Klint. 그녀는 스웨덴의 추상 화가로, 우리에게 익히 알려져 있는 서양 추상 회화의 선구자인 칸딘스키와 몬드리안보다 앞서서 추상 회화를 시작했다. 하지만 비교적 세상에 늦게 알려진 이유는 작가가 스스로 사람들이 자신의 작품을 이해할 수 없을 것이라고 생각했기 때문이다. 그녀는 대중에게 작품을 공개하는 것을 죽는 날까지 염려했다.

힐마 아프 클린트, Altarpiece No. 1 Group X, 1915, 캔버스에 유화, 개인 소장

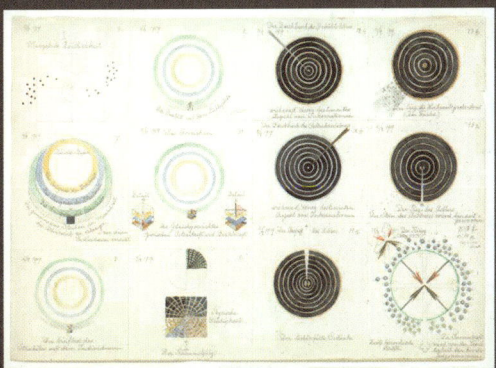

힐마 아프 클린트의 드로잉

힐마 아프 클린트는 평생을 '보이지 않는 세계'를 그렸다. 그녀는 친했던 여동생의 갑작스러운 죽음에 영향을 받아 영적 세계를 탐구하기 시작한다. 물리적인 세계에서 나아가 영적 세계를 탐구하는 일. 클린트는 우리가 사는 세계와 또 다른 세계에 영혼들이 존재한다고 믿었고, 동료들과 함께 'The Five'라는 그룹을 만들어 영혼이나 사후 세계와 연결된 영매 훈련을 받기도 했다. 무엇보다 그녀는 세상을 떠난 여동생을 꼭 만나고 싶은 마음으로 영혼과의 만남을 꾸준히 노력했고, 그 과정을 드로잉으로 기록했다. 영화 〈퍼스널 쇼퍼〉에서는 영혼과의 대화를 그림에 담아낸 힐마 아프 클린트의 존재가 등장하기도 한다.

그래서일까? 그녀의 추상 드로잉은 마치 누군가와 약속한 듯이 규칙적이고 균형감이 돋보인다. 반복되는 원형들, 계단처럼 상승하는 삼각형들이 그 예다. 또한 꽃이나 물방울 같은 이미지를 도형화한 것도 특징이다. 다양한 색과 도형과 선을 활용해 도달할 수 없는 어떤 곳으로 도달하는 장면을 그린 것 같기도 하다.

보이지 않는 세계

2018년 가을부터 겨울 뉴욕의 구겐하임에서 힐마 아프 클린트의 회고전이 개최되자 백만 명이 넘는 사람들이 그녀의 그림을 보고 갔고, 많은 사람들이 찬사를 쏟아냈다.
"이 그림들은 계시다."
영국의 유명 주간지 《이코노미스트》는 힐마 아프 클린트를 두고 이렇게 표현했다. 끊임없이 보이지 않는 세계를 그리고자 했던 그녀의 마음은 〈미래를 위한 그림〉이라는 전시 타이틀로 대표되었다. 이보다 앞서 2014년 스웨덴의 컨템포러리 패션 브랜드 아크네 스튜디오는 힐마 아프 클린트의 작품을 자신들의 상품에 콜라보레이션한 바 있다.
보수적인 사회 분위기 속에서 여성 화가로 살아가며 새로운 시도를 한 그녀의 작품은 이제 반세기를 지나 우리 시대에 인정받게 되었다. 보이지 않는 세계, 그리고 세상에 없는 존재를 만날 수 있다는 그녀의 믿음은 희망과 신념의 존재가 우리의 생각 이상으로 강인하다는 사실을 보여준다. 희망과 한숨, 걱정과 불안이 수없이 오고 간 2020년의 봄, 힐마 아프 클린트의 그림이 우리에게 보여주는 미래는 여전히 아름답고 찬란하다.

힐마 아프 클린트, They Ten Mainstay IV, 1907

BOOK

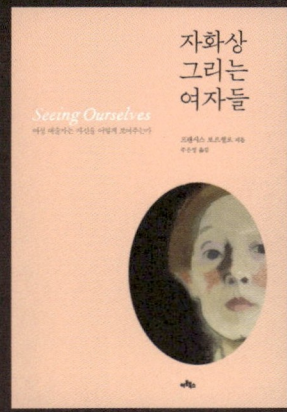

자화상 그리는 여자들

글 프랜시스 보르젤로 | 옮김 주은정 | 아트북스

16세기부터 현대까지 여성 예술가들이 표현한 자화상 200여 점을 모아놓은 책이다. 서양 미술사에서 간과되어 온 여성 예술가들을 자화상으로 만나보고, 여성이자 미술가로 살아갔던 그들의 목소리와 삶에 귀 기울여 보는 시간이 될 것이다.

MOVIE

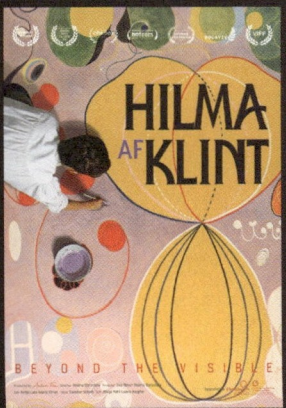

힐마 아프 클린트 – 미래를 위한 그림

할리나 디르스츠카 | 다큐멘터리 | 독일 | 94분

2019년 독일에서 만들어진 힐마 아프 클린트의 다큐멘터리가 올해 한국에서 개봉 예정이다. 코로나19의 여파 때문에 언제 개봉할지 미정이라고는 하나 한국에서 그녀의 영화를 볼 수 있다는 것만으로도 큰 기대가 된다.

MUSIC

Water

The Real Group

스웨덴 출신 세계적인 아카펠라 혼성 그룹인 '더 리얼 그룹The Real Group'을 소개한다. 1987년 1집 발매 이후 지난 30년간 20여 장의 앨범을 발표하며 세계 최고의 아카펠라 그룹으로 인정받고 있다. 모든 곡을 직접 만들고 편곡하는 그들의 음악 중 내가 가장 좋아하는 곡은 'Water'와 'Pass Me The Jazz'다. 스웨덴의 민속 민요 같은 리듬과 소박하면서도 경쾌한 아카펠라가 마음을 편안하게 한다.

FOOD

함께 즐기는
한 그릇 채소 덮밥

글·사진 이재한 에디터 이다은 일러스트레이터 윤형정

* 계량 기준 | 1T(15ml), 1t(5ml), 1컵(200ml)

이재한
마크로비오틱 라이프스타일을 오랫동안 추구하는 마크로비오틱 요리연구가. 미국 쿠시인스티튜트의 마크로비오틱을 대표하는 비영리기관인 G.O.M.A 및 미국쿠시인스티튜트 한국 대표로 활동하고 있다. 다큐쇼 인증 마크로비오틱 인스트럭터와 메디컬 셰프를 경험하고 있다.

올해는 바이러스 때문에 외출 기회가 줄어들어 봄을 만끽하기도 전에 여름이 오는 듯하다. 집에 있는 시간이 길어지고 있지만 식생활에서라도 계절감을 느끼며 건강을 지킬 수 있는 메뉴를 소개한다. 주변에서 쉽게 구할 수 있는 재료로 만드는 한 그릇 채소 식사 메뉴로 집에서 밥을 차려 먹는 즐거움을 만끽해 보자.

당근소보로 덮밥

마크로비오틱에서 당근은 양파, 무 등과 함께 늘 상비하는 필수 식재료다. 당근은 베타카로틴이 풍부하고 빈혈 예방 및 조혈 작용에 용이하며, 풍부한 비타민C로 피부를 아름답게 해준다. 당근은 기름에 볶는 것보다 소금을 뿌리며 마른 팬에 볶으면 단맛이 더 상승한다. 간을 할 때는 유지류를 넣는 것이 소화 흡수에 도움이 되며, 된장으로 간하면 당근 특유의 냄새를 꺼리는 아이들도 맛있게 먹을 수 있다.

재료(2인분)
당근 80g, 집된장 1/2t, 집된장에 섞을 참기름 1t, 구운 김 가루 2t, 돌미나리와 쪽파, 루꼴라, 무순 등 잘게 썰어 2T, 참기름과 소금 약간, 현미밥 2공기

만들기
1 당근은 반은 강판에 갈고 반은 다져 소금을 약간 뿌려 둔다.
2 돌미나리와 쪽파 등의 채소는 잘게 썰어 참기름, 소금 순서로 넣고 버무려 둔다.
3 달궈진 팬에 1을 넣고 달콤한 향기가 날 때까지 천천히 볶는다.
4 3에 된장과 참기름을 섞어 넣고 수분을 날리며 볶는다.
5 그릇에 밥을 담고 완성된 당근소보로와 2의 채소, 김가루를 올려 완성한다.

두부스크램블 덮밥

말랑하고 푹신한 질감의 두부스크램블은 봄과 여름, 우리의 근육과 세포를 이완해 주는 힘이 있다. 기온이 상승하더라도 자연스레 모공을 열고 땀을 내게 해주어 계절과의 조화를 이룬다. 두부는 풍부한 칼륨과 수분으로 신체에 불필요한 열을 내려주고, 여분의 지방을 용해해 주는 알파리놀렌산을 함유한다. 이는 식생활 불균형으로 비롯되는 현대인의 성인병 예방에 도움이 되지만 과도한 섭취는 체온을 내릴 수 있기에 주의하는 것이 좋다. 조리할 때 채수 대신 물을 쓰는 경우에는 소금 대신 간장을 몇 방울 떨어뜨려 풍미를 살려주면 좋고, 소금 대신 죽염으로 간하면 달걀과 유사한 맛을 즐길 수 있다.

재료(2인분)
두부 150g, 양파 1/2개, 기름 약간, 소금과 후추 약간, 찹쌀가루 1t, 채수 혹은 물 1T, 강황가루 약간, 생강채 5g, 매실식초 1T, 현미밥 2공기

만들기
1 양파는 다지고 두부는 끓는 소금물에 데친 뒤 한 김 식혀 거칠게 으깨어 둔다.
2 찹쌀가루, 강황가루는 채수에 풀어 둔다.
3 생강채는 매실식초에 1시간 이상 재워 둔다.
4 달궈진 팬에 기름을 조금 두르고 양파를 볶는다. 으깬 두부를 넣고 함께 볶아 두부의 수분을 날려준다. 2를 넣어 점성이 생기고 노란빛이 돌면 소금과 후추로 간한다.
5 그릇에 밥을 담고 4의 두부스크램블을 올리고 3을 올려 장식한다.

브로콜리와 장마 튀김 덮밥

봄여름의 브로콜리는 말랑하고 달콤해서 데치는 것보다 튀기면 더욱 진한 맛을 느낄 수 있다. 장마는 동물성 식품의 과식으로 발생한 노폐물의 배출과 소화를 도와주는데, 튀겨 먹으면 미끈함은 사라지고 아삭하면서도 묵직한 식감이 매력적이다. 튀김의 원리는 재료가 가진 수분의 자리에 뜨거운 기름이 들어가면서 수분을 제거하는 것이다. 채소는 육류보다 수분이 많아 육류 튀기듯이 하면 더 많은 양의 기름을 먹게 된다. 따라서 튀김옷을 도톰하게 입혀 채소보다 튀김옷이 더 빨리 익게 하여 기름이 스며드는 것을 막아주어야 한다. 튀김 요리에서 레몬은 기름의 소화 흡수를 도와주는 기능을 하니 꼭 곁들이기를 권한다.

재료(2인분)
브로콜리 봉오리 부분 4~6조각, 장마 10cm, 소금과 후추 약간, 통밀가루 3T, 물 4~5T, 튀김용 기름 150cc, 레몬 슬라이스 2조각, 현미밥 2공기
마늘간장소스: 진간장 40cc, 조선간장(집간장) 10cc, 통마늘 2~3알(통마늘은 가로로 저며 간장에 넣어두고 3~4일 후부터 사용한다.)

만들기
1 장마는 불에 껍질 부분을 그슬려 잔털을 제거한 후 1.5cm 정도 두께로 도톰하게 썬다.
2 브로콜리와 1의 장마는 소금과 후추를 약간 뿌려 두고, 통밀가루와 물을 섞어 진한 농도의 튀김옷을 만든다.
3 튀김용 냄비를 달군 후 기름을 붓고 튀김옷을 입힌 브로콜리와 장마를 튀긴다.
4 현미밥을 공기에 담는다. 소스를 약간 둘러 넣고 튀김을 올린 후, 튀김에도 소스를 뿌려주고 레몬을 곁들인다.

GREET!

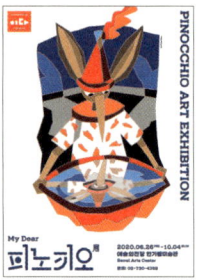

My Dear 피노키오

피노키오는 디즈니 만화로 친숙하지만 원래 이탈리아 동화 《피노키오의 모험》에 등장하는 주인공 이름이다. 이번 전시는 100년 넘게 사랑받아 온 《피노키오의 모험》을 기반으로 예술성, 재미, 환상, 교육적인 면을 모은 복합 콘텐츠로 이루어진다. 국내외 작가들의 작품을 통해 익숙하면서도 새로운 피노키오를 만나보자.

예술의전당 한가람미술관
sac.or.kr
2020. 06. 26.~10. 04.

앨런 플레처
Welcome To My Studio

영국 디자인의 거장 앨런 플레처의 전시가 부산시민회관 갤러리에서 열린다. 앨런 플레처는 그래픽 디자이너이자 예술가로 일생을 살며 방대한 작품을 남겼다. 그의 학창 시절 초창기 작업부터 세계적인 디자인 전문 컨설팅 회사인 펜타그램에서의 작품까지 50년 디자인 인생을 훑어볼 수 있다.

부산시민회관 갤러리
bscc.or.kr
2020. 04. 21.~06. 21.

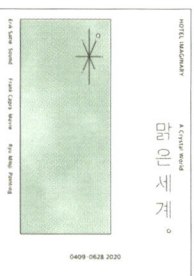

맑은 세계
A Crystal World

작은 마당이 있는 오래된 단독 주택을 개조한 공간으로, 세 번째 기획 전시를 연다. 미술가 류민지의 회화 작품, 에릭 사티의 음반, 프랭크 카프라의 고전 영화와 함께한다. 전시 공간에 상주하는 안내인이 나쓰메 소세키의 《도련님》을 이야기로 들려주면 관객은 이를 매개로 환상적인 세계에 빠져들 것이다.

호텔이매지너리
hotelimaginary.com
2020. 04. 09.~06. 28.

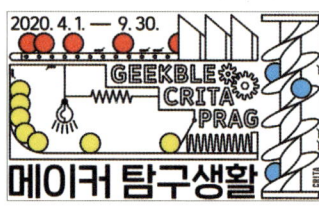

메이커 탐구생활

'지금은 존재하지 않는 어떤 것은 일상 탐구에서 시작된다'는 메시지를 전하며 우리의 일상을 색다르게 보는 방법과 일상 속 예기치 못한 발견들을 공유하길 원하는 마음에서 기획되었다. 크리타를 비롯해 과학과 공학의 즐거움을 알리는 유튜브 제작사 긱블, 을지로 세운상가를 대표하는 프래그가 함께 참여한다.

크리타
crita.kr
2020. 04. 01.~09. 30.

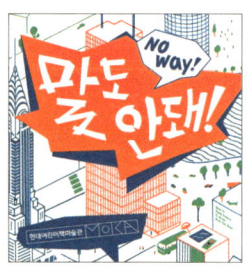

말도 안돼! No Way!

〈말도 안돼! No Way!〉는 모든 집을 벽돌로 만들던 시절 기둥 위에 건물이 공중에 떠 있는 듯한 필로티 구조로 집을 지은 건축가 르 코르뷔지에를 비롯한 세계적 건축 거장들의 업적을 만나보는 전시다. 어린이들은 건축 탐구실, 건축 발견실, 건축 실험실을 따라 여러 가지 감각으로 건축을 관찰하고 직접 참여할 수 있다.

현대어린이책미술관
hmoka.org
2020. 04. 01.~08. 30.

2020 뮤지엄그라운드 기획전

극사실주의 작가 3인의 단체전, 전광영 작가의 컬러 테마전, 뉴욕과 한국을 오가며 작품 활동을 펼치는 키야킴 작가의 개인전으로 구성된 기획전이다. 단체전 〈본다. GAZE〉에서는 작품 의도에 맞는 북 큐레이션, 컬러 테마전에서는 그동안 대중에게 알려지지 않은 작품, 키야킴 전시에서는 작가의 창의성이 담긴 아트 토이 등이 준비되어 있다.

뮤지엄그라운드
museumground.org
2020. 04. 03.~08. 09.

어린 곰의 아침 식사
글·그림 김태경 | 앤카인드

아직 홀로 설 준비가 안 된 아기 곰이 겨울잠에서 깨어난다. 아주 추운 겨울날, 맛있는 음식 냄새가 솔솔 나는 할아버지네 집에 찾아간 아기 곰을 할아버지는 따뜻하게 맞아주고, 몇 번의 식사를 함께 하는 동안 둘은 친구가 된다. 할아버지와 아기 곰처럼, 낯선 이를 마음에 들이며 우리는 조금 더 성숙해진다.

나의 구석
글·그림 조오 | 웅진주니어

흰 벽과 바닥이 만나 만들어진 구석에 까마귀 한 마리가 웅크리고 있다. 고심하던 까마귀는 자신의 일상을 함께할 물건들로 공간을 채우고, 구석은 마침내 보금자리가 된다. 어쩌면 외롭기만 했을 곳이 까마귀에 의해 새롭게 태어났듯 우리들의 일상적인 시간도 쌓이다 보면 특별해질 거라는 깨달음을 준다.

보고 싶은 앙드레에게
글·그림 소피 비시에르 | 옮김 김미정 | 단추

어느 날 앙드레 집 창문으로 들어온 종이비행기에는 토요일 오후 3시에 공원에서 만나자는 설레는 글자가 적혀 있다. 앙드레에게 비행기를 날린 친구들이 준비한 특별 선물은 무엇일까? 함께하는 것만으로도 행복한 친구라는 존재의 의미를 되새겨 보자.

디어 가브리엘
글 할프단 프레이호브 | 옮김 허형은 | 문학동네

책의 부제는 '언젠가 혼자 남을 자폐증 아들에게 보내는 아버지의 편지'다. 저자의 막내아들인 가브리엘이 세 살 때 자폐증과 ADHD 진단을 받은 후, 아버지는 아들의 가장 가까운 어른이자 친구가 된다. 섬마을에서 아들과 함께 보내온 날들과 언제나 아들 곁에 남아 있어줄 문장들이 큰 울림을 준다.

매일 한끼 비건 집밥
글 이윤서 | 테이스트북스

여러 가지 이유로 비건을 시작하지만 막상 제대로 된 한 끼를 먹기에는 쉽지 않은 게 현실이다. 이 책은 쉽고 맛있는 101가지 비건 요리를 담고 있다. 오랫동안 채식을 해온 '뿌리온더플레이트'의 이윤서 저자가 알려주는 레시피로 즐거운 채식을 경험해 보자.

우리 각자의 미술관
글 최혜진 | 휴머니스트

지식 없이도 그림과 깊이 만나도록 안내하는 그림 감상 실용서다. 책은 이론을 억지로 이해하기를 강요하지 않고, 작품과 순수하게 교감하며 즐길 수 있도록 도와준다. 다들 좋다는 그림이 나만 별로일 때, 전시회를 어떻게 봐야 할지 모를 때 이 책을 접한다면 '각자의 미술관'을 만들 수도 있지 않을까.

Brand

나띵프로젝트

아기와 환경을 위한 자연주의 패밀리 바디케어, 나띵프로젝트. 100% 천연 분말로 만든 사랑스러운 색깔과 전성분 EWG 그린 등급으로 온 가족이 안심하고 사용하는 버블 입욕제와 물감놀이와 목욕을 동시에 할 수 있는 플랍플랍 네추럴 컬러 버블바스 등으로 한층 행복한 목욕 시간을 만들어보자.

nahthingproject.com

AGT

'A good thing'의 약자인 AGT는 이름처럼 좋은 패브릭 제품을 만든다. 다양한 색감과 패턴으로 침구와 소품은 물론 감각적인 테이블 웨어도 선보인다. 모든 패브릭 제품은 자체 제작으로 전문 재단사와 협업해 소량 생산하는 만큼 완성도에 집중한다.

agtshop.com

잭슨카멜레온

올봄 집 밖으로 나가지 못해 답답한 마음을 집 안에서 풀어보려고 한다면 가구 하나 바꿔보는 건 어떨까. 잭슨카멜레온은 새로운 조화를 추구하는 가구 브랜드로, 미니멀하지만 개성 있는 디자인과 색감으로 집 안 분위기를 환기해 준다. 식탁, 테이블, 소파 등을 판매한다.

jacksonchameleon.co.kr

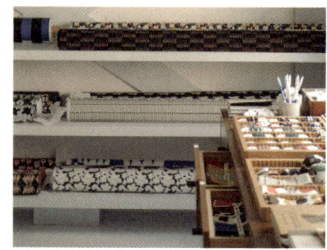

KPB Fabrics

디자인 패브릭 브랜드 키티버니포니에서 패브릭 전문 숍 KBP Fabrics를 오픈했다. 2008년부터 시작된 키티버니포니의 패턴과 노하우를 담아 오직 그곳에서만 볼 수 있는 상품들을 판매한다. 선명한 색감과 패턴이 매장에 들르는 것만으로도 두 눈을 즐겁게 환기해 줄 것이다.

kittybunnypony.com

에그슬럿

LA의 아침 식사를 책임지고 있는 샌드위치 브랜드 에그슬럿이 6월 코엑스에 오픈한다. 에그슬럿은 파인다이닝 출신 셰프가 개발한 달걀 요리로 현지에서 큰 사랑을 받고 있다. 부드러운 브리오슈 번과 촉촉한 스크램블드에그는 익숙하면서도 새로운 맛으로 많은 이들의 입맛을 사로잡을 예정이다.

instagram.com/eggslutkorea

서울번드

서울(Seoul)과 부두(Bund)가 결합되어 '서울의 부두'라는 뜻을 가진 리빙 편집숍이다. 까다로운 안목으로 아시아의 제품들을 골라 서울로 들여오며, 제품군은 테이블 웨어, 식기, 커피 웨어, 수납 용품 등 다양하다. 서울의 부두에서 우리가 몰랐던 아시아를 만나보자.

seoulbund.com